O melhor de
Rubem Fonseca

O melhor de
Rubem Fonseca

Contos

© 2015 by Rubem Fonseca

Direitos de edição da obra em língua portuguesa no Brasil adquiridos pela Editora Nova Fronteira Participações S.A. Todos os direitos reservados. Nenhuma parte desta obra pode ser apropriada e estocada em sistema de banco de dados ou processo similar, em qualquer forma ou meio, seja eletrônico, de fotocópia, gravação etc., sem a permissão do detentor do copirraite.

EDITORA NOVA FRONTEIRA PARTICIPAÇÕES S.A.
Rua Nova Jerusalém, 345 – Bonsucesso – 21042-235
Rio de Janeiro – RJ – Brasil
Tel.: (21) 3882-8200 – Fax: (21) 3882-8312/8313

CIP-BRASIL. CATALOGAÇÃO NA PUBLICAÇÃO

F747m   Fonseca, Rubem
        O melhor de Rubem Fonseca / Rubem Fonseca. - 1. ed. -
        Rio de Janeiro : Nova Fronteira, 2015.

        ISBN 9788520940907

        1. Conto brasileiro. I. Título.

15-25954   CDD: 869.93
                                                        CDU: 821.134.3(81)-3

Sumário

Apresentação 7

Teoria do consumo conspícuo 11
Os prisioneiros 15
A força humana 23
Os graus 48
O desempenho 59
O encontro e o confronto 66
Feliz ano novo 74
Passeio noturno (Parte I) 84
O outro 87
O Cobrador 92
Mandrake 112
Romance negro 148
A carne e os ossos 200
Betsy 206
Cidade de Deus 208
AA 211
A Confraria dos Espadas 225
Copromancia 231
Mecanismos de defesa 242
Caderninho de nomes 246
Começo 253
Ela 261
Laurinha 263
Sapatos 269
Axilas 274
O filho 282

O MATADOR DE CORRETORES.. 286
FAZER AS PESSOAS RIREM E SE SENTIREM FELIZES.......... 290

Apresentação

O melhor de Rubem Fonseca faz parte de uma coleção que leva ao leitor textos fundamentais de grandes autores da literatura brasileira. Nesta antologia reunimos contos, gênero narrativo no qual sem dúvida Rubem Fonseca se destaca. Já na estreia, com a coletânea *Os prisioneiros* (1963), o mineiro radicado no Rio recebeu críticas entusiasmadas e foi aclamado como renovador do conto brasileiro. O sucesso inicial se confirmou, dois anos depois, com *A coleira do cão* (1965), prova definitiva de que a ficção urbana havia encontrado seu mais arrojado e incisivo representante. Mas foi com *Lúcia McCartney* (1967) que o escritor se tornou um best-seller e ganhou, pela primeira vez, o Jabuti.

Com meio século dedicado à literatura, Rubem Fonseca já publicou 254 contos, além de novelas, romances e crônicas. As 28 narrativas que selecionamos com a chancela do próprio autor para compor esta antologia são autênticos exemplos da irreverente dicção fonsequiana e do universo de violência, injustiça, conflitos, aberrações, traições, erotismo, taras, neuroses, miséria e decadência física ou moral que recheiam as páginas dos livros do escritor.

Respeitando uma ordem cronológica, iniciamos a antologia com "Teoria do consumo conspícuo", seu primeiro conto publicado, em 1961, pela revista *Senhor*, e "Os prisioneiros", texto que dá título ao livro de 1963. De *A coleira do cão*, selecionamos "A força humana" e "Os graus". Já do premiado *Lúcia McCartney*, escolhemos "O desempenho" e "O encontro e o confronto". Do livro seguinte, *Feliz ano novo*, de 1975, convocamos o próprio "Feliz ano novo", "Passeio noturno (Parte I)" e "O outro". Como curiosidade, vale mencionar que em 1977, na terceira reimpressão, *Feliz ano novo* foi proibido e confiscado pela censura, supostamente por conter "matéria contrária à moral e aos bons costumes".

De *O Cobrador*, publicado em 1979, que também permaneceu algum tempo no índex do Ministério da Justiça, temos o conto homônimo e "Mandrake", em que reaparece o investigador recorrente na prosa de Rubem Fonseca.

Passados 13 anos, o autor volta às narrativas curtas com *Romance negro e outras histórias*, de 1992. Desse livro escolhemos o conto que dá título à coletânea, um belo manual de literatura policial. "A carne e os ossos", de *O buraco na parede*, livro de 1995, precede "Betsy" e "Cidade de Deus", duas das peculiares *Histórias de amor*, de 1997. Encerrando a década, selecionamos "AA" e "A Confraria dos Espadas", que dá título ao livro de 1998.

Em 2002, veio a público *Secreções, excreções e desatinos*, com os contundentes "Copromancia" e "Mecanismos de defesa". No ano seguinte, *Pequenas criaturas* vence outro Jabuti na categoria contos e crônicas. Dele apresentamos "Caderninho de nomes" e "Começo". *Ela e outras mulheres*, de 2006, é todo dedicado a personagens femininas. Escolhemos o próprio "Ela" e "Laurinha" como suas representantes. Em 2011, surge *Axilas e outras histórias indecorosas*, do qual selecionamos "Sapatos" e o texto que dá título ao livro. "O filho" e "O matador de corretores" são de *Amálgama*, obra em que há vários experimentos de prosas poéticas e pela qual o autor recebeu mais um Jabuti, em 2013. O recente *Histórias curtas*, de 2015, realmente cumpre a concisão anunciada no título, embora "Fazer as pessoas rirem e se sentirem felizes", que escolhemos para compor esta seleção, não seja dos menores textos da coletânea. Também não é, como se pode esperar de um legítimo Rubem Fonseca, a narrativa otimista que o riso e a felicidade parecem anunciar.

Surpreendendo o leitor a cada livro, mesclando erudição e sobriedade a uma linguagem popular, espontânea, coalhada de palavrões e de imagens impactantes, com pitadas certas de humor, sarcasmo e ironia, Rubem Fonseca "penetra nas dobras da vida marginal" e, "a exemplo dos poetas", como bem definiu Tomás Eloy Martínez, "faz as palavras tocarem a borda extrema de seus sentidos", cria "beleza mediante a profanação da beleza". Não sem razão ele é considerado por muitos um mestre do conto.

Teoria do consumo conspícuo

Estávamos dançando abraçados, de frente, da maneira convencional. Ela não queria brincar no cordão, nem queria outra sorte de abraços, nem queria tirar a máscara. Eu gritava no meio do barulho, pedia no seu ouvido: "Tira a máscara, meu bem." Ela nada. Ou melhor, sorria, os dentes mais lindos do mundo, de boca aberta. Eu via os molares lá no fundo. Dançamos a noite toda. No princípio, fiquei muito excitado. Depois, fiquei cansado somente; mas continuamos abraçados, bem apertados. Eu só via o seu queixo, que era branco e redondo; e a boca. Da boca para cima nada. Nem os olhos a máscara deixava ver direito.

Me contaram uma história de um par mascarado que dançava no carnaval. Ele estava vestido de cachorro e tinha uma máscara de gente; ela estava vestida de gente e tinha uma máscara de gata. Tiraram as máscaras ao mesmo tempo. Debaixo da máscara de gata estava a cara de uma mulher; debaixo da máscara de gente estava a cara de um cachorro; o que tinha corpo de cachorro, era cachorro mesmo: as aparências não enganam.

Era o último dia de carnaval e todo carnaval eu sempre fora com uma mulher diferente para a cama. Já na terça-feira, mais um pouco o carnaval acabava e eu não teria mantido a tradição. Era uma espécie de superstição como a desses sujeitos que todo ano vão à igreja dos Barbadinhos. Eu temia que algo malévolo ocorresse comigo se eu deixasse de cumprir aquele ritual.

À meia-noite começaram a cantar no salão, com o mais genuíno dos masoquismos, "é hoje só, amanhã não tem mais".

Essa advertência, de que era aquele o último dia, me deixou muito preocupado. Continuávamos dançando, ela rindo a três por dois, jogando a cabeça para trás, boca aberta, e eu olhando os seus molares; cheio de medo, pois era hoje só, amanhã não tinha mais.

Nossa conversa era feita de olhares e apertos, pois o barulho da orquestra, dos gritos e apitos, não permitia que conversássemos. De vez em quando apertava a mão dela e ela retribuía; prendia a perna dela entre as minhas, ou a minha entre as dela, e novamente sentia a receptividade. Beijava-a no pescoço, na orelha; ela raspava na minha nuca uma unha pontuda e afiada como se fosse uma faca.

O tempo foi passando, passando e acabou. Já era de manhã. Saímos do baile e, como era verão, o sol iluminava todo mundo. Todos estavam feios, suados, sujos. Aparecia em certas caras a burla do lábio fino engrossado de batom; peitos postiços saíam de posição; sapatos altos quebravam o salto e algumas mulheres viravam anãs de repente; sovacos fediam; dedos dos pés e calcanhares surgiam calosos e imundos.

Só a minha amiga continuava bonita e fresca como se fosse uma rosa. E de máscara.

"Já é dia", disse para ela. "Você já pode tirar a máscara."

"Você quer mesmo que eu tire?", perguntou ela.

Íamos andando pela rua, sós. As outras pessoas tinham desaparecido.

"Já é dia", repeti, achando boa a razão que eu apresentava. "Além do mais, o carnaval acabou", disse com certa tristeza. "Hoje é quarta-feira de cinzas."

"Você quer mesmo que eu tire?", tornou ela.

"Já é dia", insisti.

Continuamos andando. Eu de mau humor.

"Vamos para a minha casa?", perguntei, urgente e sem esperança.

"Não posso tirar a máscara", disse ela.

"Não tira", disse eu, decididamente. Mas estava apreensivo. Não havia tempo a perder. "Vamos."

Como ela não respondesse, eu a peguei por um braço e a levei para minha casa.

Quando entramos ela disse:

"Não posso."

"Tirar a máscara?"

"Quem falou em tirar a máscara?", disse ela, botando as mãos no rosto e dando um passo para trás.

"Eu não falei em tirar a máscara", defendi-me. "Foi você, dizendo 'não posso'."

"Eu não falei na máscara", protestou ela. "Não posso outra coisa."

Eu me sentei e tirei os sapatos.

"Nós dois estamos perdendo o nosso tempo", disse eu. "É melhor você ir embora."

"Você não entende", disse ela.

Num gesto dramático, tirou a máscara.

"Não suporto o meu nariz", disse com desafio na voz.

Era um nariz muito bonito, arrebitado.

"O seu nariz é muito bonito", disse eu. "Você é toda muito bonita."

"Não sou não", disse ela, com jeito de quem ia chorar. "Vocês homens são todos iguais."

"Está certo. Somos todos iguais. E daí?"

"O meu problema é não ter duzentos contos. Você me dá duzentos contos?"

"Duzentos contos?"

"Você me dá duzentos contos?", arguiu ela, como se estivesse me pondo à prova. De boca fechada, me olhava fixamente.

Eu me levantei e vi meu talão de cheques do banco. Tinha duzentos justos.

"Dou", disse. Fiz um cheque e entreguei a ela.

"Depois eu pago", disse ela.

"Não precisa", disse eu olhando o relógio. "Hoje já é quarta-feira."

"Pago sim. Vou trabalhar e pago. Eu não gosto de dever a ninguém."

"Está certo; você paga."

Bocejamos os dois.

"Os médicos são muito caros, você não acha? Duzentos contos só para operar um nariz", disse ela.

Foi andando em direção à porta.

Eu estava tão cansado que continuei sentado.

"Você vai querer me ver de nariz novo?", perguntou ela.

Eu tive vontade de dizer: "Você não precisa de um nariz novo, está gastando dinheiro à toa; além do mais, me deixou completamente na miséria levando os últimos duzentos contos da minha indenização trabalhista." Mas achei que isso não seria gentil da minha parte e disse somente: "Vou."

"Tchau", disse ela, saindo e fechando a porta.

Deixou a máscara em cima de uma cadeira. Era preta, de cetim, com um perfume forte e bom. Botei a máscara e fui para a cama. Estava quase dormindo quando me lembrei de tirá-la: um sujeito que sempre dorme de janelas abertas não pode dormir com uma máscara que lhe cobre o nariz.

Os prisioneiros, 1963

Os prisioneiros

Numa sala, um sofá, um homem deitado no sofá sem paletó, com a gravata afrouxada. Ao lado, uma mulher de preto, sentada numa cadeira.

PSICANALISTA: O senhor não gosta de roupa esporte; é essa a razão?

CLIENTE: É muito chato vir de roupa esporte para a cidade, num dia útil. Parece que não trabalho, que sou um aposentado, um vadio, uma coisa dessas.

PSICANALISTA: Mas por que se incomodar com isso? O senhor está de licença para tratamento de saúde, recebendo regularmente pelo Instituto. Esse é o seu trabalho: tratar de sua saúde.

CLIENTE: Mas e os outros que me veem na rua, flanando de roupa esporte! Que digo para eles? Ou não digo nada e carrego, como os cegos, uma tabuleta, ou bordo nas costas da camisa a frase: em tratamento de saúde. Gostaria que a senhora me dissesse qual a maneira de identificar o louco de bom comportamento. Os cegos carregam uma bengalinha branca; os surdos uma corneta acústica ou um transistor inconspícuo na haste dos óculos; os mancos uma bota ortopédica, os paralíticos uma cadeira de rodas ou um par de muletas. E os malucos de bom comportamento, como parece ser o meu caso? Hein? A senhora não tem uma boa ideia? *(Mudando de tom)* Aliás a senhora não tem uma boa ideia desde que a conheci.

PSICANALISTA: Já começa o senhor com a sua agressividade. Eu lhe disse em nossa última sessão que isso não passa de uma fraca defesa. Desde o primeiro dia o senhor se entrincheirou e não quer abandonar essa posição de antagonismo. *(Pausa)* O senhor está com medo que eu o seduza.

CLIENTE: *(Dá uma gargalhada)*
PSICANALISTA: *(Incisiva)* O senhor está com medo que eu o seduza.

CLIENTE: *(Pensativo)* Por que será que a senhora me disse isso? Engraçado, as coisas que a senhora me diz me deixam na maioria das vezes indiferentes; às vezes, raramente, me irritam. Essa, me deu pena da senhora.

PSICANALISTA: Pena de mim? Por quê?

CLIENTE: Eu sei por que a senhora me disse isso.

PSICANALISTA: Então diga.

CLIENTE: A senhora é casada?

PSICANALISTA: *(Pequena hesitação)* Não.

CLIENTE: Já foi psicanalisada, não foi?

PSICANALISTA: Claro.

CLIENTE: A senhora é virgem?

PSICANALISTA: *(Hesitação)* Isso não ajuda nada ao senhor.

CLIENTE: *(Sentado no sofá)* É ou não é?

PSICANALISTA: *(Recuando e apoiando as costas no encosto da cadeira)* Sou. *(O cliente deita com um suspiro de satisfação e fica de olhos fechados como se estivesse dormindo. A psicanalista por momentos permanece encostada na cadeira)*

PSICANALISTA: *(Empertigando-se, sentada)* O senhor quer encerrar nossa sessão de hoje?

CLIENTE: Não. Não. Ainda não acabei com a senhora. O seu psicanalista foi um homem, não foi?

PSICANALISTA: Foi.

CLIENTE: E, um dia, numa das sessões, ele lhe disse *(imitando)* "a senhora está com medo de ser seduzida por mim"

— não disse? Sendo virgem, a senhora devia viver, ou talvez viva, ainda, com esse medo, ou essa vontade, de ser seduzida, as duas coisas se confundindo, deixando-a perplexa. Agora a senhora vem e repete a mesma coisa para mim, como se tudo fosse uma lição de piano.

PSICANALISTA: O senhor já pensou em outra hipótese? Por exemplo: pode ser que eu esteja com medo de ser seduzida pelo senhor, e esteja transferindo esse sentimento.

CLIENTE: Eu não tinha pensado nisso.

PSICANALISTA: *(Sorrindo)* Vê, o senhor não sabe todas as respostas.

CLIENTE: E a senhora sabe?

PSICANALISTA: Eu não. Nem mesmo sei por que o senhor tem pena de mim.

CLIENTE: Por que tenho pena da senhora? *(Levanta-se)* Epa! Espere aí. A senhora não vai agora dizer que estou com pena é de mim e, tortuosamente, digo que tenho pena da senhora. Daqui a pouco vai perguntar sobre a minha mãe, eu sei.

PSICANALISTA: Se o senhor quer falar sobre a sua mãe, pode falar. O senhor não quer se deitar? Fica mais confortável.

CLIENTE: Meu Deus! Será que a senhora não se livra das fórmulas?

PSICANALISTA: Que fórmulas? *(Levanta-se)*

CLIENTE: *(Irritado)* Isso tudo é muito ridículo. Acho que estou perdendo o meu tempo.

PSICANALISTA: Sendo assim, o senhor não devia fazer psicanálise. Pelo menos comigo.

CLIENTE: Faço porque o Instituto está pagando. Dizem que o Instituto arranja os médicos mais ordinários para os seus doentes.

PSICANALISTA: O senhor está pagando. Não descontou sempre para o Instituto?

CLIENTE: Está certo. Eu estou pagando. Então é pior ainda: estou jogando o meu dinheiro fora.

PSICANALISTA: O senhor não é obrigado a fazer psicanálise.

CLIENTE: *(Impaciente)* Eu já disse uma porção de vezes: sofro de umas síncopes, perco o ar, desmaio. Quando isso aconteceu pela primeira vez, os clínicos disseram que eu devia ter um foco infeccioso. Tiraram-me as amígdalas. Piorei. Tiraram-me o apêndice. Piorei. Fiz operação de sinusite. Eles foram ficando desesperados e arrancaram todos os dentes da minha boca. Passei a ter dois ataques por semana. A senhora sabia que todos os meus dentes são postiços? Eu tinha ótimos dentes.

PSICANALISTA: Não tinha notado.

CLIENTE: *(Passando o polegar e o indicador da mão direita nos dentes superiores)* Imbecis. Fiz cardiograma, nada. Encefalograma, nada. A não ser uma pequena disritmia, oriunda de pancadas na cabeça quando era criança. Vesícula, bexiga, próstata, intestinos, baço, fígado, tudo perfeito. Eles só tinham uma saída: dizer que eu era neurótico. Mandaram-me para um médico psiquiatra, que parecia o Carlitos. *(Pensativo)* A única diferença é que ele usava roupa cinza o tempo todo.

PSICANALISTA: E depois?

CLIENTE: *(Bocejando)* Depois fizeram sonoterapia. Um mês na base do amplictil e outras pílulas coloridas. Dormi pra burro, engordei, mas não deixei de ter os mesmos colapsos: às vezes o meu pulso subia a duzentos.

PSICANALISTA: Duzentos?

CLIENTE: Duzentos. Como não desse resultado, passaram à convulsoterapia.

PSICANALISTA: Insulina?
CLIENTE: Quilowatt. Também não adiantou. E assim, dos clínicos aos psiquiatras, o abacaxi foi passado adiante aos psicanalistas, ou seja *(aponta com o dedo)*, a senhora. A senhora é a minha última chance.
PSICANALISTA: Pode confiar em mim.
CLIENTE: *(Aflito)* Eu tenho que confiar na senhora. Hoje, quando vinha para cá, no meio da rua, as minhas pernas pareciam de chumbo, o coração disparando, uma sensação horrível. *(Leva a mão ao peito)* Eu estou sentindo a mesma coisa agora, veio de repente.
PSICANALISTA: É melhor o senhor se deitar.
CLIENTE: Não posso andar *(Faz uma cara de dor)*.
PSICANALISTA: Tente. O senhor pode sim, tente, por favor, o senhor pode.
CLIENTE: Não posso. Não posso. Meu pulso! *(Os dentes cerrados respira ofegante)*
PSICANALISTA: O senhor pode!
CLIENTE: Não! *(Com voz autoritária)* Puxe esse sofá para cá!
PSICANALISTA: Pronto.

(O cliente cai pesadamente no sofá com as pernas pra fora. A psicanalista curva-se e levanta as pernas do homem do chão, com esforço enorme, como se elas fossem mesmo de chumbo. Estendido no sofá o cliente respira pesadamente)

CLIENTE: Meu pulso! Veja!
PSICANALISTA: *(Segurando o pulso do cliente — desesperada)* Eu não tenho relógio. Meu Deus! *(Segura e larga o pulso do cliente)* ele não pode morrer aqui. *(Grita)* Maria, Maria.

(A sala se ilumina. Uma porta, a única da sala, se abre e surge uma mulher jovem de uniforme branco)

PSICANALISTA: *(Continuando)* Um médico, chame, depressa, o clínico do 808.

(Maria sai da sala. A psicanalista anda nervosamente. Entra o clínico, de avental branco, carregando uma maleta preta)

CLÍNICO: O que foi que aconteceu? Sua secretária me chamou dizendo que um homem —
PSICANALISTA: Aqui, doutor *(Aponta para o homem no sofá)*. É um cliente meu, um neurótico, teve um colapso.
CLÍNICO: Neurótico?
PSICANALISTA: *(Nervosa)* Psicótico, não sei. Um estranho quadro patológico. Ele costuma ter colapsos, os clínicos não descobriram a causa. Foi submetido a tratamento psiquiátrico e não melhorou. Agora está fazendo psicanálise.
CLÍNICO: Melhorou?
PSICANALISTA: Não. O senhor está vendo que não. Mas a psicanálise é um processo demorado e ele está comigo há pouco tempo.
CLÍNICO: Hum... *(Toma o pulso do cliente. Abre a maleta preta, tira uma seringa, uma ampola, prepara uma injeção que aplica no braço do cliente)*
PSICANALISTA: Como está ele, doutor?
CLÍNICO: A senhora devia saber; ele é seu cliente.
PSICANALISTA: Mas eu não sei. O senhor fica satisfeito de ouvir isso! *(Grita)* Eu não sei!
CLÍNICO: Vai voltar a si *(Afirmativo)*. Mas a psicanálise não vai melhorá-lo. Já tive um cliente assim. O homem deve ter um foco infeccioso seriíssimo.
PSICANALISTA: *(Falando e rindo nervosamente)* Mas ele arrancou os dentes, as amígdalas, o apêndice, a próstata, tudo atrás de um foco que não existia. Fez operação de sinusite, tubagem. *(Explode numa gargalhada)*

CLÍNICO: A senhora está histérica.

(A psicanalista para subitamente; o cliente, no sofá, mexe-se e murmura palavras incompreensíveis)

CLÍNICO: *(Secamente, fechando a maleta)* Creio que já posso ir-me embora.

PSICANALISTA: Um momento, um momento, por favor. O senhor vai deixá-lo assim?

CLÍNICO: Ele é seu cliente; não é meu. Este ataque já não oferece mais perigo... creio. *(Curva-se e examina o cliente no sofá)* É estranho...

PSICANALISTA: O quê? *(Aproxima-se)*

CLÍNICO: Ele está suando só do lado direito do rosto.

PSICANALISTA: *(Agitadamente)* E do corpo. Veja, só o lado direito do corpo está suando. Ele me disse que costumava suar só de um lado do corpo, às vezes do esquerdo, às vezes do direito *(mudando de tom, agora desconsoladamente)* e eu não acreditei nele.

CLÍNICO: Que coisa estranha. Antigamente isso teria sido considerado um milagre. Ele sofre de alucinações?

PSICANALISTA: Não.

CLÍNICO: Ele é casado?

PSICANALISTA: Solteiro. As pessoas solteiras enlouquecem mais do que as casadas.

CLÍNICO: Isto está provado estatisticamente?

PSICANALISTA: Estatisticamente.

CLÍNICO: É, mas o fato de ele suar só de um lado não prova que ele seja louco. *(Balançando a cabeça)* Não prova.

PSICANALISTA: Há casos em que ninguém pode provar que uma pessoa esteja louca, a não ser ela própria. Ele se recusa a isso.

CLÍNICO: Então ele está bom: é o seu raciocínio.
PSICANALISTA: Não sei. Confesso que estou confusa. Ele acha que está bom, e para falar a verdade eu também acho que ele está bom. *(Exclama)* Mas e os colapsos? E o suor? As pernas de chumbo?
CLÍNICO: Também não sei o que dizer.
PSICANALISTA: Ele não tem família, ninguém, só o Instituto.
CLÍNICO: *(Confortadoramente)* Essas síncopes acabam matando-o. *(Longo silêncio)* Eu tenho mesmo que ir embora. Meus clientes me esperam.
PSICANALISTA: Estou tão cansada!

Os prisioneiros, **1963**

A força humana

Eu queria seguir em frente mas não podia. Ficava parado no meio daquele monte de crioulos — uns balançando o pé, ou a cabeça, outros mexendo os braços; mas alguns, como eu, duros como um pau, fingindo que não estavam ali, disfarçando que olhavam um disco na vitrina, envergonhados. É engraçado, um sujeito como eu sentir vergonha de ficar ouvindo música na porta da loja de discos. Se tocam alto é pras pessoas ouvirem; e se não gostassem da gente ficar ali ouvindo era só desligar e pronto: todo mundo desguiava logo. Além disso, só tocam música legal, daquelas que você tem que ficar ouvindo e que faz mulher boa andar diferente, como cavalo do exército na frente da banda.

A questão é que passei a ir lá todos os dias. Às vezes eu estava na janela da academia do João, no intervalo de um exercício, e lá de cima via o montinho na porta da loja e não aguentava — me vestia correndo, enquanto o João perguntava, "aonde é que você vai, rapaz? você ainda não terminou o agachamento", e ia direto para lá. O João ficava maluco com esse troço, pois tinha cismado que ia me preparar para o concurso do melhor físico do ano e queria que eu malhasse quatro horas por dia e eu parava no meio e ia para a calçada ouvir música. "Você está maluco", dizia, "assim não é possível, eu acabo me enchendo com você, está pensando que eu sou palhaço?"

Ele tinha razão, fui pensando nesse dia, reparte comigo a comida que recebe de casa, me dá vitaminas que a mulher que é enfermeira arranja, aumentou meu ordenado de auxiliar de instrutor de alunos só para que eu não vendesse mais sangue e pudesse me dedicar aos exercícios, puxa!, quanta coisa, e eu não reconhecia e ainda mentia para ele; podia dizer para ele não me dar mais dinheiro, dizer a verdade, que a Leninha dava para mim tudo que eu queria, que eu podia até comer em restaurante, se quisesse, era só dizer para ela: quero mais.

De longe vi logo que tinha mais gente que de costume na porta da loja. Gente diferente da que ia lá; algumas mulheres. Tocava um samba de balanço infernal — tum schtictum tum: os dois alto-falantes grandes na porta estavam de lascar, enchiam a praça de música. Então eu vi, no asfalto, sem dar a menor bola para os carros que passavam perto, esse crioulo dançando. Pensei: outro maluco, pois a cidade está cada vez mais cheia de maluco, de maluco e de viado. Mas ninguém ria. O crioulo estava de sapato marrom todo cambaio, uma calça mal-ajambrada, rota no rabo, camisa branca de manga comprida suja e suava pra burro. Mas ninguém ria. Ele fazia piruetas, misturava passo de balé com samba de gafieira, mas ninguém ria. Ninguém ria porque o cara dançava o fino e parecia que dançava num palco, ou num filme, um ritmo danado, eu nunca tinha visto um negócio daqueles. Nem eu nem ninguém, pois os outros também olhavam para ele embasbacados. Pensei: isso é coisa de maluco mas maluco não dança desse jeito, para dançar desse jeito o sujeito tem que ter boas pernas e bom molejo, mas é preciso também ter boa cabeça. Ele dançou três músicas do long-play que estava tocando e quando parou todo mundo começou a falar um com o outro, coisa que nunca acontece na porta da loja, pois as pessoas ficam lá ouvindo música caladas. Então o crioulo apanhou uma cuia que estava no chão perto da árvore e a turma foi colocando notas na cuia que ficou logo cheia. Ah, estava explicado, pensei, o Rio estava ficando diferente.

Antigamente você via um ou outro ceguinho tocando um troço qualquer, às vezes acordeão, outras violão, tinha até um que tocava pandeiro acompanhado de rádio de pilha — mas dançarino era a primeira vez que eu via. Já vi também uma orquestra de três paus de arara castigando cocos e baiões e o garoto tocando o "Tico-tico no fubá" nas garrafas cheias d'água. Já vi. Mas dançarino! Botei duzentas pratas na cuia. Ele colocou a cuia cheia de dinheiro perto da árvore, no chão, tranquilo e seguro de que ninguém ia mexer na gaita, e voltou a dançar.

Era alto; no meio da dança, sem parar de dançar, arregaçou as mangas da camisa, um gesto até bonito, parecia bossa ensaiada, mas acho que ele estava era com calor, e apareceram dois braços muito musculosos que a camisa larga escondia. Esse cara é definição pura, pensei. E isso não foi palpite, pois basta olhar para qualquer sujeito vestido que chega na academia pela primeira vez para dizer que tipo de peitoral tem ou qual o abdômen, se a musculatura dá para inchar ou para definir. Nunca erro.

Começou a tocar uma música chata, dessas de cantor de voz fina, e o crioulo parou de dançar, voltou para a calçada, tirou um lenço imundo do bolso e limpou o suor do rosto. O grosso debandou, só ficaram mesmo os que sempre ficam para ouvir música, com ou sem show. Cheguei perto do crioulo e disse que ele tinha dançado o fino. Riu. Conversa vai conversa vem ele explicou que nunca tinha feito aquilo antes. "Quer dizer, fiz uma outra vez. Um dia passei aqui e me deu uma coisa, quando vi estava dançando no asfalto. Dancei uma música só, mas um cara embolou uma notinha e jogou no meu pé. Era um cabral. Hoje vim de cuia. Sabe como é, estou duro que nem, que nem —" "Poste", disse eu. Ele olhou para mim, da maneira que tinha de olhar sem a gente saber o que ele estava pensando. Será que pensava que eu estava gozando ele? Tem poste branco também, ou não tem?, pensei. Deixei passar. Perguntei, "você faz ginástica?". "Que ginástica, meu chapa?" "Você tem o físico de quem faz ginástica." Deu uma risada mostrando uns dentes branquíssimos e fortes e sua cara que era bonita ficou feroz como a de um gorila grande. Sujeito estranho. "Você faz?", perguntou ele. "O quê?" "Ginástica", e me olhou de alto a baixo, sem me dar nenhuma palavra, mas eu também não estava interessado no que ele estava pensando; o que os outros pensam da gente não interessa, só interessa o que a gente pensa da gente; por exemplo, se eu pensar que eu sou um merda, eu sou mesmo, mas se alguém pensar isso de mim o que que tem?, eu não preciso de ninguém, deixa o cara pensar, na hora de pegar para capar é que eu quero ver. "Faço peso", disse. "Peso?" "Halterofilismo." "Ah, ah!", riu de novo, um gorila perfeito. Me lembrei do Humberto de quem diziam que tinha a força de dois gorilas e quase a mesma inteligência. Qual seria a força do crioulo? "Como é o seu nome?", perguntei, dizendo antes o meu. "Vaterlu, se escreve com dábliu e dois ós." "Olha, Waterloo, você quer ir até à academia onde eu faço ginástica?" Ele olhou um pouco para o chão, depois pegou a cuia e disse "vamos". Não perguntou nada, fomos andando, enquanto ele punha o dinheiro no bolso, todo embolado, sem olhar para as notas.

Quando chegamos na academia, João estava debaixo da barra com o Corcundinha. "João, esse é o Waterloo", eu disse; João me olhou atravessado, dizendo "quero falar contigo", e foi andando para o vestiário. Fui atrás. "Assim não é possível, assim não é possível", disse o João. Pela cara dele vi que estava piçudo comigo. "Você parece que não entende", continuou João, "tudo que eu estou fazendo é para o teu bem, se fizer o que eu digo papa esse campeonato com uma perna nas costas e depois está feito. Como é que você pensa que eu cheguei ao ponto em que eu cheguei? Foi sendo o melhor físico do ano. Mas tive que fazer força, não foi parando a série no meio não, foi malhando de manhã e de tarde, dando duro, mas hoje tenho academia, tenho automóvel, tenho duzentos alunos, tenho o meu nome feito, estou comprando apartamento. E agora eu quero te ajudar e você não ajuda. É de amargar. O que eu ganho com isso? Um aluno da minha academia ganhar o campeonato? Tenho o Humberto, não tenho? O Gomalina, não tenho? O Fausto, o Donzela — mas escolho você entre todos esses e essa é a paga que você me dá." "Você tem razão", disse enquanto tirava a roupa e colocava a minha sunga. Ele continuou: "Se você tivesse a força de vontade do Corcundinha! Cinquenta e três anos de idade! Quando chegou aqui, há seis meses, você sabe disso, estava com uma doença horrível que comia os músculos das costas dele e deixava a espinha sem apoio, o corpo cada vez caindo mais para os lados, chegava a dar medo. Disse para mim que estava ficando cada vez menor e mais torto, que os médicos não sabiam porra nenhuma, nem injeções nem massagens estavam dando jeito nele; teve nego aqui que ficou de boca aberta olhando para o seu peito pontudo feito chapéu de almirante, a corcunda saliente, todo torcido para a frente, para o lado, fazendo caretas, dava até vontade de vomitar só de olhar. Falei pro Corcundinha, te ponho bom, mas tem que fazer tudo que eu mandar, tudo, tudo, não vou fazer um Steve Reeves de você, mas daqui a seis meses será outro homem. Olha ele agora. Fiz um milagre? Ele fez o milagre, castigando, sofrendo, penando, suando: não há limite para a força humana!"

Deixei o João gritar essa história toda pra ver se sua chateação comigo passava. Disse, pra deixar ele de bom humor, "teu peitoral está bárbaro". João abriu os dois braços e fez os peitorais saltarem, duas massas enormes, cada peito devia pesar dez quilos; mas ele não era o mesmo das fotografias espalhadas pela parede. Ainda de braços abertos, João caminhou para o espelho grande da parede e ficou olhando lateralmente seu corpo. "É esse supino que eu quero que você faça; em três fases: sentado, deitado de cabeça para baixo na prancha e deitado no banco; no banco eu faço de três maneiras, vem ver." Deitou-se no banco com a cara sob o peso apoiado no cavalete. "Assim, fechado, as mãos quase juntas; depois, uma abertura média; e, finalmente, as mãos bem abertas nos extremos da barra. Viu como é? Já botei na tua ficha nova. Você vai ver o teu peitoral dentro de um mês", e dizendo isso me deu um soco forte no peito.

"Quem é esse crioulo?", perguntou João olhando Waterloo, que sentado num banco batucava calmamente. "Esse é o Waterloo", respondi, "trouxe para fazer uns exercícios, mas ele não pode pagar." "E você acha que eu vou dar aula de graça para qualquer vagabundo que aparece por aqui?" "Ele tem base, João, a modelagem deve ser uma sopa." João fez uma careta de desprezo: "O que, o quê?, esse cara!, ah: manda embora, manda embora, você tá maluco". "Mas você ainda não viu, João, a roupa dele não ajuda." "Você viu?" "Vi", menti, "vou arranjar uma sunga para ele."

Dei a sunga para o crioulo, dizendo: "Veste isso, lá dentro".

Eu ainda não tinha visto o crioulo sem roupa, mas fazia fé: a postura dele só seria possível com uma musculatura firme. Mas fiquei preocupado; e se ele só tivesse esqueleto? O esqueleto é importante, é a base de tudo, mas tirar um esqueleto do zero é duro como o diabo, exige tempo, comida, proteína e o João não ia querer trabalhar em cima de osso. Waterloo de sunga saiu do vestiário. Veio andando normalmente: ainda não conhecia os truques dos veteranos, não sabia que mesmo numa aparente posição de repouso é possível retesar toda a musculatura, mas isso é um troço difícil de fazer, como por exemplo definir a asa e os tríceps ao mesmo tempo, e ainda simultaneamente os costureiros e os retoabdominais, e os bíceps e o trapézio, e tudo harmoniosamente, sem parecer que o cara está tendo um ataque epilético. Ele não sabia fazer isso, nem podia, é coisa de mestre, mas no entanto, vou dizer, aquele crioulo tinha o desenvolvimento muscular cru mais perfeito que já vi na minha vida. Até o Corcundinha parou seu exercício e veio ver. Sob a pele fina de um negro profundo e brilhante, diferente do preto fosco de certos crioulos, seus músculos se distribuíam e se ligavam, dos pés à cabeça, num crochê perfeito.

"Te dependura aqui na barra", disse o João. "Aqui?", perguntou Waterloo, já debaixo da barra. "É. Quando a tua testa chegar na altura da barra, para." Waterloo começou a suspender o corpo, mas no meio do caminho riu e pulou para o chão. "Não quero palhaçada aqui não, isso é coisa séria", disse João, "vamos novamente." Waterloo subiu e parou como o João tinha mandado. João ficou olhando. "Agora, lentamente, leva o queixo acima da barra. Lentamente. Agora desce, lentamente. Agora volta à posição inicial e para." João examinou o corpo de Waterloo. "Agora, sem mexer o tronco, levanta as duas pernas, retas e juntas." E o crioulo começou a levantar as pernas, devagar, e com facilidade, e a musculatura do seu corpo parecia uma orquestra afinada, os músculos funcionando em conjunto, uma coisa bonita e poderosa. João devia estar impressionado, pois começou também a contrair os próprios músculos e então notei que eu e o próprio Corcundinha fazíamos o mesmo, como a cantar em coro uma música irresistível; e João disse, com voz amiga que não usava para aluno nenhum, "pode descer", e o crioulo desceu e João continuou, "você já fez ginástica?" e Waterloo respondeu negativamente e João arrematou "é não fez mesmo não, eu sei que não fez; olha, vou contar para vocês, isso acontece uma vez em cem milhões; que cem milhões, um bilhão! Que idade você tem?" "Vinte anos", disse Waterloo. "Posso fazer você famoso, você quer ficar famoso?", perguntou João. "Pra quê?", perguntou Waterloo, realmente interessado em saber para quê. "Pra quê? Pra quê? Você é gozado, que pergunta mais besta", disse João. Para que, eu fiquei pensando, é mesmo, para quê? Para os outros verem a gente na rua e dizerem lá vai o famoso fulaneco? "Para que, João?", perguntei. João me olhou como se eu tivesse xingado a mãe dele. "Ué, você também, que coisa! O que vocês têm na cabeça, hein? Ahn?" O João de vez em quando perdia a paciência. Acho que estava com uma vontade doida de ver um aluno ganhar o campeonato. "O senhor não explicou pra quê", disse Waterloo respeitosamente. "Então explico. Em primeiro lugar, para não andar esfarrapado como um mendigo, e tomar banho quando quiser, e comer — peru, morango, você já comeu morango? —, e ter um lugar confortável para morar, e ter mulher, não uma nega fedorenta, uma loura, muitas mulheres andando atrás de você, brigando para ter você, entendeu? Vocês nem sabem o que é isso, vocês são uns bundas-sujas mesmo." Waterloo olhou para João, mais surpreso que qualquer outra coisa, mas eu fiquei com raiva; me deu vontade de sair na mão com ele ali mesmo, não por causa do que havia dito de mim, eu quero que ele se foda, mas por estar sacaneando o crioulo; cheguei até a imaginar como seria a briga: ele é mais forte, mas eu sou mais ágil, eu ia ter que brigar em pé, na base da cutelada. Olhei para o seu pescoço grosso: tinha que ser ali no gogó, um pau seguro no gogó, mas para dar um cacete caprichado ali por dentro ia ter que me colocar meio lateral e a minha base não ficava tão firme se ele viesse com um passapé; e por dentro o bloqueio ia ser fácil, o João tinha reflexo, me lembrei dele treinando o Mauro para aquele vale-tudo com o Juarez em que o Mauro foi estraçalhado; reflexo ele tinha, estava gordo mas era um tigre; bater dos lados não adiantava, ali eram duas chapas de aço; eu podia ir para o chão tentar uma finalização limpa, uma chave de braço; duvidoso. "Vamos botar a roupa, vamos embora", disse para Waterloo. "O que que há?", perguntou João apreensivo, "você está zangado comigo?" Bufei e disse: "Sei lá, estou com o saco cheio disso tudo, quase me embucetei contigo ainda agora, é bom você ficar sabendo". João ficou tão nervoso que quase perdeu a pose, sua barriga chegou a estufar como se fosse uma fronha de travesseiro, mas não era medo da briga não, disso ele não tinha medo, ele estava era com medo de perder o campeonato. "Você ia fazer isso com o teu amigo", cantou ele, "você é como um irmão para mim, e ia brigar comigo?" Então fingiu uma cara muito compungida, o artista, e sentou abatido num banco com o ar miserável de um sujeito que acaba de ter notícia que a mulher o anda corneando. "Acaba com isso, João, não adianta nada. Se você fosse homem, você pedia desculpa." Ele engoliu em seco e disse "tá bem, desculpa, porra!, desculpa, você também (para o crioulo), desculpa; está bem assim?". Tinha dado o máximo, se eu provocasse ele explodia, esquecia o campeonato, apelava para a ignorância, mas eu não ia fazer isso, não só porque a minha raiva já tinha passado depois que briguei com ele em pensamento, mas também porque João havia pedido desculpa e quando homem pede desculpa a gente desculpa. Apertei a mão dele, solenemente; ele apertou a mão de Waterloo. Também apertei a mão do crioulo. Ficamos sérios, como três doutores.

"Vou fazer uma série para você, tá?", disse João, e Waterloo respondeu "sim senhor". Eu peguei a minha ficha e disse para João: "Vou fazer a rosca direta com sessenta quilos e a inversa com quarenta, o que que você acha?". João sorriu satisfeito, "ótimo, ótimo".

Terminei minha série e fiquei olhando João ensinar ao Waterloo. No princípio a coisa é muito chata, mas o crioulo fazia os movimentos com prazer, e isso é raro: normalmente a gente demora a gostar do exercício. Não havia mistério para Waterloo, ele fazia tudo exatamente como João queria. Não sabia respirar direito, é verdade, o miolo da caixa ainda ia ter que abrir, mas, bolas, o homem estava começando!

Enquanto Waterloo tomava banho, João disse para mim: "Estou com vontade de preparar ele também para o campeonato, o que que você acha?". Eu disse que achava uma boa ideia. João continuou: "Com vocês dois em forma, é difícil a academia não ganhar. O crioulo só precisa inchar um pouco, definição ele já tem". Eu disse: "Também não é assim não, João; o Waterloo é bom, mas vai precisar malhar muito, ele só deve ter uns quarenta de braço". "Tem quarenta e dois ou quarenta e três", disse João. "Não sei, é melhor medir." João disse que ia medir o braço, antebraço, peito, coxa, barriga da perna, pescoço. "E você quanto tem de braço?", me perguntou astuto; ele sabia, mas eu disse, "quarenta e seis". "Hum... é pouco, hein?, pro campeonato é pouco... faltam seis meses... e você, e você..." "Que que tem eu?" "Você está afrouxando..." A conversa estava chata e resolvi prometer, para encerrar: "Pode deixar, João, você vai ver, nesses seis meses eu vou pra cabeça". João me deu um abraço, "você é um cara inteligente... Puxa! com a pinta que você tem, sendo campeão! já imaginou? Retrato no jornal... Você vai acabar no cinema, na América, na Itália, fazendo aqueles filmes coloridos, já imaginou?". João colocou várias anilhas de dez quilos no pulley. "Teu pulley é de quanto?", perguntou. "Oitenta." "E essa garota que você tem, como é que vai ser?" Falei seco: "Como é que vai ser o quê?" Ele: "Sou teu amigo, lembre-se disso". Eu: "Está certo, você é meu amigo, e daí?" "Tudo que eu falo é para o teu bem." "Tudo que você fala é para o meu bem, e daí?" "Sou como um irmão para você." "Você é como um irmão para mim, e daí?" João agarrou a barra do pulley, ajoelhou-se e puxou a barra até o peito enquanto os oitenta quilos de anilhas subiam lentamente, oito vezes. Depois: "Qual é o teu peso?". "Noventa." "Então faz o pulley com noventa. Mas olha, voltando ao assunto, sei que peso dá um tesão grande, tesão, fome, vontade de dormir — mas isso não quer dizer que a gente faça isso sem medida; a gente fica estourado, na ponta dos cascos, mas tem que se controlar, precisa disciplina; vê o Nelson, a comida acabou com ele, fazia uma série de cavalo pra compensar, criou massa, isso criou, mas comia como um porco e acabou com um corpo de porco... coitado..." E João fez uma cara de pena. Não gosto de comer, e João sabe disso. Notei que o Corcundinha, deitado de costas, fazendo um crucifixo quebrado, prestava atenção na nossa conversa. "Acho que você anda fuçando demais", disse João, "isso não é bom. Você chega aqui toda manhã marcado de chupão, arranhado no pescoço, no peito, nas costas, nas pernas. Isso nem fica bem, temos uma porção de garotos aqui na academia, é um mau exemplo. Por isso eu vou te dar um conselho" — e João olhou para mim com cara de amigos-amigos-negócios-à-parte, com cara de contar dinheiro; já se respaldava no crioulo? — "essa garota não serve, arranja uma que queira uma vez só por semana, ou duas, e assim mesmo maneirando." Nesse instante Waterloo surgiu do vestiário e João disse para ele, "vamos sair que eu vou comprar umas roupas para você; mas é empréstimo, você vai trabalhar aqui na academia e depois me paga". Para mim: "Você precisa de um ajudante. Guenta a mão aí, que eu já volto".

Sentei-me, pensando. Daqui a pouco começam a chegar os alunos. Leninha, Leninha. Antes que fizesse uma luz, o Corcundinha falou: "Quer ver se eu estou puxando certo na barra?" Fui ver. Não gosto de olhar o Corcundinha. Ele tem mais de seis tiques diferentes. "Você está melhorando dos tiques", eu disse; mas que besteira, ele não estava, por que eu disse aquilo? "Estou, não estou?", disse ele satisfeito, piscando várias vezes com incrível rapidez o olho esquerdo. "Qual a puxada que você está fazendo?" "Por trás, pela frente, e de mãos juntas na ponta da barra. Três séries para cada exercício, com dez repetições. Noventa puxadas, no total, e não sinto nada." "Devagar e sempre", eu disse para ele. "Ouvi a tua conversa com o João", disse o Corcundinha. Balancei a cabeça. "Esse negócio de mulher é fogo", continuou ele, "eu briguei com a Elza." Raios, quem era a Elza? Por via das dúvidas, disse "é". Corcundinha: "Não era mulher para mim. Mas ocorre que estou agora com essa outra pequena e a Elza vive ligando lá para casa dizendo desaforos para ela, fazendo escândalos. Outro dia na saída do cinema foi de morte. Isso me prejudica, eu sou um homem de responsabilidade". Corcundinha num ágil salto agarrou a barra com as duas mãos e balançou o corpo para a frente e para trás, sorrindo, e dizendo: "Essa garota que tenho agora é um estouro, um brotinho, trinta anos mais nova do que eu, trinta anos, mas eu ainda estou em forma — ela não precisa de outro homem". Com puxadas rápidas Corcundinha içou o corpo várias vezes, por trás, pela frente, rapidamente: uma dança; horrível; mas não despreguei olho. "Trinta anos mais nova?", eu disse maravilhado. Corcundinha gritou do alto da barra: "Trinta anos! Trinta anos!". E dizendo isso Corcundinha deu uma oitava na barra, uma subida de rim e após balançar-se pendularmente tentou girar como se fosse uma hélice, seu corpo completamente vermelho do esforço, com exceção da cabeça que ficou mais branca. Segurei suas pernas; ele caiu pesadamente, em pé, no chão. "Estou em forma", ofegou. Eu disse: "Corcundinha, você precisa tomar cuidado, você... você não é criança". Ele: "Eu me cuido, me cuido, não me troco por nenhum garoto, estou melhor do que quando tinha vinte anos e bastava uma mulher roçar em mim para eu ficar maluco; é toda noite, meu camaradinha, toda noite!". Os músculos do seu rosto, pálpebra, narina, lábio, testa começaram a contrair, vibrar, tremer, pulsar, estremecer, convulsar: os seis tiques ao mesmo tempo. "De vez em quando os tiques voltam?", perguntei. Corcundinha respondeu: "É só quando eu fico distraído". Fui para a janela pensando que a gente vive distraído. Embaixo, na rua, estava o montinho de gente em frente à loja e me deu vontade de correr para lá, mas eu não podia deixar a academia sem ninguém.

Depois chegaram os alunos. Primeiro chegou um que queria ficar forte porque tinha espinhas no rosto e voz fina, depois chegou outro que queria ficar forte para bater nos outros, mas esse não ia bater em ninguém, pois um dia foi chamado para uma decisão e medrou; e chegaram os que gostam de olhar no espelho o tempo todo e usar camisa de manga curta apertada pro braço parecer mais forte; e chegaram os garotos de calças Lee, cujo objetivo é desfilar na praia; e chegaram os que só vêm no verão, perto do carnaval, e fazem uma série violenta para inchar rápido e eles vestirem suas fantasias de sarong, grego, qualquer coisa que ponha a musculatura à mostra; e chegaram os coroas cujo objetivo é queimar a banha da barriga, o que é muito difícil, e, depois de certo ponto, impossível; e chegaram os lutadores profissionais: Príncipe Valente, com sua barba, Testa de Ferro, Capitão Estrela, e a turma do vale-tudo: Mauro, Orlando, Samuel — estes não dão bola pra modelagem, só querem força para ganhar melhor sua vida no ringue: não se aglomeram na frente dos espelhos, não chateiam pedindo instruções; gosto deles, gosto de treinar com eles nas vésperas de uma luta, quando a academia está vazia; e vê-los sair de uma montada, escapar de um arm-lock ou então bater quando consigo um estrangulamento perfeito; ou ainda conversar sobre as lutas que ganharam ou perderam.

O João voltou, e com ele Waterloo de roupa nova. João encarregou o crioulo de arrumar as anilhas, colocar barras e halteres nos lugares certos, "até você aprender para ensinar".

Já era de noite quando Leninha telefonou para mim, perguntando a que horas eu ia para casa, para casa dela, e eu disse que não podia passar lá pois ia para minha casa. Ouvindo isso Leninha ficou calada: nos últimos trinta ou quarenta dias eu ia toda noite para a casa dela, onde já tinha chinelo, escova de dentes, pijama e uma porção de roupas; ela perguntou se eu estava doente e eu disse que não; e ela ficou outra vez calada, e eu também, parecia até que nós queríamos ver quem piscava primeiro; foi ela: "Então você não quer me ver hoje?" "Não é nada disso", eu disse, "até amanhã, telefona para mim amanhã, tá bem?"

Fui para o meu quarto, o quarto que eu alugava de dona Maria, a velha portuguesa que tinha catarata no olho e queria me tratar como se fosse um filho. Subi as escadas na ponta dos pés, segurando o corrimão de leve, e abri a porta sem fazer barulho. Deitei imediatamente na cama, depois de tirar os sapatos. No seu quarto a velha ouvia novelas: "Não, não, Rodolfo, eu te imploro!", ouvi do meu quarto, "Juras que me perdoas? Perdoar-te, como, se te amo mais que a mim mesmo... Em que pensas? Oh! não me perguntes... Anda, responde... às vezes não sei se és mulher ou esfinge...". Acordei com batidas na porta e dona Maria dizendo "já lhe disse que ele não está", e Leninha: "A senhora me desculpe, mas ele disse que vinha para casa e eu tenho um assunto urgente". Fiquei quieto: não queria ver ninguém. Não queria ver ninguém — nunca mais. Nunca mais. "Mas ele não está." Silêncio. Deviam estar as duas frente a frente. Dona Maria tentando ver Leninha na fraca luz amarela da sala e a catarata atrapalhando, e Leninha... (é bom ficar dentro do quarto todo escuro). "... sar mais tarde?" "Ele não tem vindo, há mais de um mês que não dorme em casa, mas paga religiosamente, é um bom menino."

Leninha foi embora e a velha estava de novo no quarto: "Permiti-me contrariá-lo, perdoe-me a ousadia... mas há um amor que uma vez ferido só encontra sossego no esquecimento da morte... Ana Lucia! Sim, sim, um amor irredutível que paira muito além de todo e qualquer sentimento, amor que por si resume a delícia do céu dentro do coração...". Coitada da velha que vibrava com aquelas baboseiras. Coitada? Minha cabeça pesava no travesseiro, uma pedra em cima do meu peito... um menino? Como é que era ser menino? Nem isso sei, só me lembro que urinava com força, pra cima: ia alto. E também me lembro dos primeiros filmes que vi, de Carolina, mas aí eu já era grande, doze?, treze?, já era homem. Um homem. Homem...

De manhã quando ia para o banheiro dona Maria me viu. "Tu dormiste aqui?", ela me perguntou. "Dormi." "Veio uma moça te procurar, estava muito inquieta, disse que era urgente." "Sei quem é, vou falar com ela hoje", e entrei no banheiro. Quando saí, dona Maria me perguntou, "não vais fazer a barba?". Voltei e fiz a barba. "Agora sim, estás com cara de limpeza", disse dona Maria, que não se desgrudava de mim. Tomei café, ovo quente, pão com manteiga, banana. Dona Maria cuidava de mim. Depois fui para a academia.

Quando cheguei já encontrei Waterloo. "Como é? Está gostando?", perguntei. "Por enquanto está bom." "Você dormiu aqui?" "Dormi. O seu João disse para eu dormir aqui." E não dissemos mais nada, até a chegada do João.

João foi logo dando instruções a Waterloo: "De manhã, braço e perna; de tarde, peito, costas e abdominal"; e foi vigiar o exercício do crioulo. Para mim não deu bola. Fiquei espiando. "De vez em quando você bebe suco de frutas", dizia João, segurando um copo, "assim, ó", João encheu a boca de líquido, bochechou e engoliu devagar, "viu como é?", e deu o copo para Waterloo que repetiu o que ele tinha feito.

A manhã toda João ficou paparicando o crioulo. Fiquei ensinando os alunos que chegaram. Arrumei os pesos que espalhavam pela sala. Waterloo só fez a série. Quando chegou o almoço — seis marmitas — João me disse: "Olha, não leve a mal, vou repartir a comida com o Waterloo, ele precisa mais do que você, não tem onde almoçar, está duro, e a comida só dá pra dois". Em seguida sentaram-se colocando as marmitas sobre a mesa de massagens forrada de jornais e começaram a comer. Com as marmitas vinham sempre dois pratos e talheres.

Me vesti e saí para comer, mas estava sem fome e comi dois pastéis num botequim. Quando voltei, João e Waterloo estavam esticados nas cadeiras de lona. João contando a história do duro que tinha dado para ser campeão.

Um aluno me perguntou como é que fazia o pullover reto e fui mostrar para ele, outro ficou falando comigo sobre o jogo do Vasco e o tempo foi passando e chegou a hora da série da tarde — quatro horas — e Waterloo parou perto do leg-press e perguntou como funcionava e João deitou-se e mostrou dizendo que o crioulo ia fazer agachamento que era melhor. "Mas agora vamos pro supino", disse ele, "de tarde, peito, costas e abdômen, não se esqueça."

Às seis horas mais ou menos o crioulo acabou a série dele. Eu não tinha feito nada. Até àquela hora João não tinha falado comigo. Mas aí disse: "Vou preparar o Waterloo, aluno igual a ele nunca vi, é o melhor que já tive", e me olhou, rápido e disfarçado; não quis saber onde queria chegar; saber, sabia, eu manjo os truques dele, mas não me interessei. João continuou: "Já viu coisa igual? Não acha que ele pode ser o campeão?". Eu disse: "Talvez; ele tem quase tudo, só falta um pouco de força e de massa". O crioulo, que estava ouvindo, perguntou: "Massa?". Eu disse: "Aumentar um pouco o braço, a perna, o ombro, o peito — o resto está —", ia dizer ótimo mas disse, "bom". O crioulo: "É força?". Eu: "Força é força, um negócio que tem dentro da gente". Ele: "Como é que você sabe que eu não tenho?". Eu ia dizer que era palpite, e palpite é palpite, mas ele me olhava de uma maneira que não gostei e por isso: "Você não tem". "Acho que ele tem", disse João, dentro do seu esquema. "Mas o garotão não acredita em mim", disse o crioulo.

Para que levar as coisas adiante?, pensei. Mas João perguntou: "Ele tem mais ou menos força do que você?".

"Menos", eu disse. "Isso só vendo", disse o crioulo. O João era o seu João, eu era o garotão: o crioulo tinha que ser meu faixa, pelo direito, mas não era. Assim é a vida. "Como é que você quer ver?", perguntei, azedo. "Tenho uma sugestão", disse João, "que tal uma queda de braço?" "Qualquer coisa", eu disse. "Qualquer coisa", repetiu o crioulo.

João riscou uma linha horizontal na mesa. Colocamos os antebraços em cima da linha de modo que meu dedo médio estendido tocasse o cotovelo de Waterloo, pois meu braço era mais curto. João disse: "Eu e o Gomalina seremos os juízes; a mão que não é da pegada pode ficar espalmada ou agarrada na mesa; os pulsos não poderão ser curvados em forma de gancho antes de iniciada a disputa". Ajustamos os cotovelos. Bem no centro da mesa nossas mãos se agarraram, os dedos cobrindo somente as falanges dos polegares do adversário, e envolvendo as costas das mãos, Waterloo indo mais longe pois seus dedos eram mais extensos e tocavam na aba do meu cutelo. João examinou a posição dos nossos braços. "Quando eu disser já vocês podem começar." Gomalina se ajoelhou de um lado da mesa, João do outro. "Já", disse João.

A gente pode iniciar uma queda de braço de duas maneiras: no ataque, mandando brasa logo, botando toda força no braço imediatamente, ou então ficando na retranca, aguentando a investida do outro e esperando o momento certo para virar. Escolhi a segunda. Waterloo deu um arranco tão forte que quase me liquidou; puta merda!, eu não esperava aquilo; meu braço cedeu até a metade do caminho, que burrice a minha, agora quem tinha que fazer força, que se gastar, era eu. Puxei lá do fundo, o máximo que era possível sem fazer careta, sem morder os dentes, sem mostrar que estava dando tudo, sem criar moral no adversário. Fui puxando, puxando, olhando o rosto de Waterloo. Ele foi cedendo, cedendo, até que voltamos ao ponto de partida, e nossos braços se imobilizaram. Nossas respirações já estavam fundas, sentia o vento que saía do meu nariz bater no meu braço. Não posso esquecer a respiração, pensei, essa parada vai ser ganha pelo que respirar melhor. Nossos braços não se moviam um milímetro. Lembrei-me de um filme que vi, em que os dois camaradas, dois campeões, ficam um longo tempo sem levar vantagem um do outro, e enquanto isso um deles, o que ia ganhar, o mocinho, tomava whisky e tirava baforadas de um charuto. Mas ali não era cinema não; era uma luta de morte, vi que o meu braço e o meu ombro começavam a ficar vermelhos; um suor fino fazia o tórax de Waterloo brilhar; sua cara começou a se torcer e senti que ele vinha todo e o meu braço cedeu um pouco, e mais, raios!, mais ainda, e ao ver que podia perder isso me deu um desespero, e uma raiva! Trinquei os dentes! O crioulo respirava pela boca, sem ritmo, mas me levando, e então cometeu o grande erro: sua cara de gorila se abriu num sorriso e pior ainda, com a provocação grasnou uma gargalhada rouca de vitorioso, jogou fora aquele tostão de força que faltava para me ganhar. Um relâmpago cortou minha cabeça dizendo: agora!, e a arrancada que dei ninguém segurava, ele tentou mas a potência era muita; seu rosto ficou cinza, seu coração ficou na ponta da língua, seu braço amoleceu, sua vontade acabou — e de maldade, ao ver que entregava o jogo, bati com seu punho na mesa duas vezes. Ele ficou agarrando minha mão, como uma longa despedida sem palavras, seu braço vencido sem forças, escusante, caído como um cachorro morto na estrada.

Livrei minha mão. João, Gomalina queriam discutir o que tinha acontecido mas eu não os ouvia — aquilo estava terminado. João tentou mostrar o seu esquema, me chamou num canto. Não fui. Agora Leninha. Me vesti sem tomar banho, fui embora sem dizer palavra, seguindo o que meu corpo mandava, sem adeus: ninguém precisava de mim, eu não precisava de ninguém. É isso, é isso.

Eu tinha a chave do apartamento de Leninha. Deitei no sofá da sala, não quis ficar no quarto, a colcha cor-de-rosa, os espelhos, o abajur, a penteadeira cheia de vidrinhos, a boneca sobre a cama estavam me fazendo mal. A boneca sobre a cama: Leninha a penteava todos os dias, mudava sua roupa — calcinha, anágua, sutiã — e falava com ela, "minha filhinha linda, ficou com saudades da mamiquinha?". Dormi no sofá.

Leninha com um beijo no rosto me acordou. "Você veio cedo, não foi na academia hoje?" "Fui", disse sem abrir os olhos. "E ontem? Você foi cedo para sua casa?" "Fui", agora de olho aberto: Leninha mordia os lábios. "Não brinca comigo não, querido, por favor..." "Fui, não estou brincando." Ela suspirava. "Sei que você foi lá em casa. A hora não sei; ouvi você falar com dona Maria, ela não sabia que eu estava no quarto." "Fazer uma sujeira dessas comigo!", disse Leninha, aliviada. "Não foi sujeira nenhuma", eu disse. "Não se faz uma coisa dessas com... com os amigos." "Não tenho amigos, podia ter, até príncipe, se quisesse." "O quê?", disse ela dando uma gargalhada, surpresa. "Não sou nenhum vagabundo, conheço príncipe, conde, fique sabendo." Ela riu: "Príncipe?!, príncipe! no Brasil não tem príncipe, só tem príncipe na Inglaterra, você está pensando que sou boba". Eu disse: "Você é burra, ignorante; e não tem príncipe na Itália? Esse príncipe era italiano". "E você já foi na Itália?" Eu devia ter dito que já tinha comido uma condessa, que tinha andado com um príncipe italiano e, bolas, quando você anda com uma dona com quem outro cara também andou, isso não é uma forma de conhecer ele? Mas Leninha também não ia acreditar nessa história da condessa, que acabou tendo um fim triste como todas as histórias verdadeiras: mas isso não conta para ninguém. Fiquei de repente calado e sentindo a coisa que me dá de vez em quando, nas ocasiões em que os dias ficam compridos e isso começa de manhã quando acordo sentindo uma aporrinhação enorme e penso que depois de tomar banho passa, depois de tomar café passa, depois de fazer ginástica passa, depois do dia passar passa, mas não passa e chega a noite e estou na mesma, sem querer mulher ou cinema, e no dia seguinte também não acabou. Já fiquei uma semana assim, deixei crescer a barba e olhava as pessoas, não como se olha um automóvel, mas perguntando, quem é?, quem é?, quem-é-além-do-nome?, e as pessoas passando na minha frente, gente pra burro neste mundo, quem é?

Leninha, me vendo assim apagado como se fosse uma velha fotografia, sacudiu um pano na minha frente dizendo, "olha a camisa bacana que comprei para você; veste, veste para eu ver". Vesti a camisa e ela disse: "Você está lindo, vamos na boate?". "Fazer o que na boate?" "Quero me divertir, meu bem, trabalhei tanto o dia inteiro." Ela trabalha de dia, só anda com homem casado e a maioria dos homens casados só faz essa coisa de dia. Chega cedo na casa da dona Cristina e às nove horas da manhã já tem freguês telefonando para ela. O movimento maior é na hora do almoço e no fim da tarde; Leninha não almoça nunca, não tem tempo.

Então fomos à boate. Acho que ela gosta de me mostrar, pois insistiu comigo para levar a camisa nova, escolheu a calça, o sapato e até quis pentear o meu cabelo, mas isso também era demais e não deixei. Ela é gozada, não se incomoda que as outras mulheres olhem para mim. Mas só olhar. Se alguma dona vier falar comigo fica uma fera.

O lugar era escuro, cheio de infelizes. Mal tínhamos acabado de sentar um sujeito passou pela nossa mesa e disse: "Como vai, Tânia?" Leninha respondeu: "Bem obrigada, como vai o senhor?" Ele também ia bem obrigado. Me olhou, fez um movimento com a cabeça como se estivesse me cumprimentando e foi para a mesa dele. "Tânia?", perguntei. "Meu nome de guerra", respondeu Leninha. "Mas o teu nome de guerra não é Betty?", perguntei. "É, mas ele me conheceu na casa da dona Viviane, e lá o meu nome de guerra era Tânia."

Nesse instante o cara voltou. Um coroa, meio careca, bem-vestido, enxuto para a idade dele. Tirou Leninha para dançar. Eu disse: "Ela não vai dançar não, meu chapa". Ele talvez tenha ficado vermelho, no escuro, disse: "Eu pensei...". Não dei mais pelota pro idiota, ele estava ali, em pé, mas não existia. Disse para Leninha: "Esses caras vivem pensando, o mundo está cheio de pensadores". O sujeito sumiu.

"Que coisa horrível isso que você fez", disse Leninha, "ele é meu cliente antigo, advogado, um homem distinto, e você fazer uma coisa dessas com ele. Você foi muito grosseiro." "Grosseiro foi ele, não viu que você estava acompanhada, por — um amigo, freguês, namorado, irmão, fosse o que fosse? Devia ter-lhe dado um pontapé na bunda. E que história é essa de Tânia, dona Viviane?" "Isso é uma casa antiga que frequentei." "Casa antiga? Que casa antiga?" "Foi logo que me perdi, meu bem... no princípio..."

É de amargar.

"Vamos embora", eu disse. "Agora?" "Agora."

Leninha saiu chateada, mas sem coragem de demonstrar.

"Vamos pegar um táxi", ela disse. "Por quê?", perguntei, "não sou rico para andar de táxi." Esperei que ela dissesse "o dinheiro é meu", mas ela não disse; insisti: "Você é boa demais para andar de ônibus, não é?"; ela continuou calada; não desisti: "Você é uma mulher fina"; — "de classe"; — "de categoria". Então ela falou, calma, a voz certa, como se nada houvesse: "Vamos de ônibus."

Fomos de ônibus para a casa dela.

"O que que você quer ouvir?", perguntou Leninha. "Nada", respondi. Fiquei nu, enquanto Leninha ia ao banheiro. Com os pés na beira da cama e as mãos no chão fiz cinquenta mergulhos. Leninha voltou nua do banheiro. Ficamos os dois nus, parados dentro do quarto, como se fôssemos estátuas.

No princípio, esse princípio era bom: nós ficávamos nus e fingíamos, sabendo que fingíamos, que estávamos à vontade. Ela fazia pequenas coisas, arrumava a cama, prendia os cabelos mostrando em todos os ângulos o corpo firme e saudável — os pés e os seios, a bunda e os joelhos, o ventre e o pescoço. Eu fazia uns mergulhos, depois um pouco de tensão de Charles Atlas, como quem não quer nada, mas mostrando o animal perfeito que eu também era, e sentindo, o que ela devia também sentir, um prazer enorme por saber que estava sendo observado com desejo, até que ela olhava sem rebuços para o lugar certo e dizia com uma voz funda e arrepiada, como se estivesse sentindo o medo de quem vai se atirar num abismo, "meu bem", e então a representação terminava e partíamos um para o outro como duas crianças aprendendo a andar, e nos fundíamos e fazíamos loucuras, e não sabíamos de que gargantas os gritos saíam, e implorávamos um ao outro que parasse mas não parávamos, e redobrávamos a nossa fúria, como se quiséssemos morrer naquele momento de força, e subíamos e explodíamos, girando em rodas roxas e amarelas de fogo que saíam dos nossos olhos e dos nossos ventres e dos nossos músculos e dos nossos líquidos e dos nossos espíritos e da nossa dor pulverizada. Depois a paz: ouvíamos alternadamente o bater forte dos nossos corações sem sobressalto; eu botava o meu ouvido no seu seio e em seguida ela, por entre os lábios exaustos, ela soprava de leve o meu peito, aplacando;

e sobre nós descia um vazio que era como se a gente tivesse perdido a memória.

Mas naquele dia ficamos parados como se fôssemos duas estátuas. Então me envolvi no primeiro pano que encontrei, e ela fez o mesmo e sentou-se na cama e disse "eu sabia que ia acontecer", e foi isso, e portanto ela, que eu considerava uma idiota, que me fez entender o que tinha acontecido. Vi então que as mulheres têm dentro delas uma coisa que as faz entender o que não é dito. "Meu bem, o que que eu fiz?", ela perguntou, e eu fiquei com uma pena danada dela; com tanta pena que deitei ao seu lado, arranquei a roupa que a envolvia, beijei seus seios, me excitei pensando em antigamente, e comecei a amá-la, como um operário no seu ofício, e inventei gemidos, e apertei-a com força calculada. Seu rosto começou a ficar úmido, primeiro em torno dos olhos, depois a face toda. Ela disse: "O que que vai ser de você sem mim?", e com a voz saíram também os soluços.

Botei minha roupa, enquanto ela ficava na cama, com um braço sobre os olhos. "Que horas são?", ela perguntou. Eu disse: "Três e quinze". "Três e quinze... quero marcar a última hora que estou te vendo...", disse Leninha. E não adiantava eu dizer nada e por isso saí, fechando a porta da rua cuidadosamente.

Fiquei andando pelas ruas vazias e quando o dia raiou eu estava na porta da loja de discos louco que ela abrisse. Primeiro chegou um cara que abriu a porta de aço, depois outro que lavou a calçada e outros, que arrumaram a loja, puseram os alto-falantes para fora, até que afinal o primeiro disco foi colocado e com a música eles começaram a surgir de suas covas, e se postaram ali comigo, mais quietos do que numa igreja. Exato: como numa igreja, e me deu uma vontade de rezar, e de ter amigos, o pai vivo, e um automóvel. E fui rezando lá por dentro e imaginando coisas, se tivesse pai ia beijar ele no rosto, e na mão tomando bênção, e seria seu amigo e seríamos ambos pessoas diferentes.

A coleira do cão, **1965**

OS GRAUS

Estou feliz, me sinto como se fosse um, um — um animal. Sinto que se der um salto os músculos me levarão longe; sou leve, embora meu peso seja poderoso; com uma dentada arranco, se quiser, um pedaço da carne da mulher ao meu lado, com roupa e tudo. No meio desses pensamentos de euforia surge a lembrança de alguns bifes difíceis de mastigar; e a voz dela lendo a capa do disco: puxa, cantochão e tudo.

Encolho a barriga; não quero ter o ar de coruja de certos amigos. As rugas do meu rosto não são vistas na penumbra em que nos encontramos. Ser velho. Sou um homem, ainda. Ela dança ao som da música. Me beija nas costas, enquanto deito a cabeça sobre os braços. É um gênio, ela me pergunta: diz o nome dessa coisa.

Eu (em pensamento): Ah, ah, ah, se morro, o que é que fica?
Ela: Como é o nome?
Eu: Carmina Burana.
Ela: *O quê?*
Eu: Carmina Burana.
Ela: Ca — ca o quê?
Eu: Carmina Burana.
Ela: Você quer escrever num papelzinho?

Você é muito louca, digo. Por quê?, ela responde, você é louco? O tempo todo ela me olha dessa maneira esquisita; algo que lembra um gato observando dissimuladamente um rato. Mas por quê? Ainda há pouco pareceu-me sentir um certo desdém, não no olhar, na sua boca. Absurdo.

Eu sou louco? A opereta está no fim, diz ela. Se veste. Tem sardas. Eu tenho rugas. Ah, ah, ah, ah, ah, ah, ah!, que os pariu! Encolho outra vez minha barriga. Ela agora está vestida, deita na cama e lê novamente a capa do disco. O que vai pela sua cabeça? E pela minha? O cabelo dela lhe cai pelo rosto. Estou esgotado. Quando era jovem não tinha as mulheres que queria; tenho-as quando velho, juro. Mas me canso facilmente. Inferno! Já andei pelas ruas, como um louco, procurando uma mulher, uma qualquer, e não conseguia; agora as tenho, mas faltam-me as forças. Mundo besta, este.

A menina deitada na minha cama, prestes, disponível pergunta, esse Carl Orff é conhecido? Eu respondo: por quem conhece. Ela, cheirando as minhas mãos: que sabonete é este? Eu penso, e digo: Phebo. Ela diz: não. Então qual é?, pergunto. Ela: outro, um rosa, outro rosa. Tentou: Lux? Ela enfia a mão no meu nariz e diz, é um rosa, outro rosa. Qual a marca então, hein?, pergunto. Esse cheiro, meu caro, não é Phebo nem Lux, diz ela; e alisa os meus cabelos, e o meu peito e me beija debaixo do braço, e nas costas, e nas omoplatas, e no pescoço, e no nariz. Gosto dessa balda: ela inteiramente vestida e eu inteiramente nu. A música a perturba: é uma opereta diferente, essa: ah, estou corrompendo essas meninas: nunca mais serão as mesmas: num só golpe liquido Rodgers & Hammerstein, Lerner & Loewe.

Tenho que ir embora, digo. Já estou pronta, ela responde, e continua: você não muda, sempre a mesma coisa. Pergunto: o que é que você quer dizer com isto? Ela responde: aparece e some, não envelhece, não emagrece, não engorda. Você é uma louca, eu digo. Diabinho, diz ela, estou tremendo de medo de você; quanto tempo faz que nos conhecemos? Dois anos? Sei lá, o que você acha?, respondo. Ela diz: dois anos, um instante, nesses dois anos encontrei você vinte vezes, não?

Eu: Vinte vezes, é?
Ela: Só...?
Eu: Só, você perguntou?
Ela: Hein?
Eu: Você perguntou ou afirmou?
Ela: Perguntou ou afirmou o quê?
Eu: Que vinte vezes era só.
Ela: O que que você acha?
Eu: Eu perguntei primeiro.
Ela: É pouquíssimo. Já te disse que você tem cara de santo?
Eu: Eu sou santo.
Ela: Não estou brincando, não. Vou trazer o retrato dele para você ver. Desse santo que eu falo.
Eu: Retrato?
Ela: É igualzinho, igualzinho — o mesmo olho triste, essa mesma ruga, aqui...

Muito de leve seus dedos correm pelas rugas do meu rosto. Me conta uma história, antes de eu ir embora, ela pede. E tira a roupa com a naturalidade de alguém que se senta numa poltrona: ela gosta das minhas histórias e quer ouvi-las confortavelmente. Engraçado: ainda no ano passado o quarto não era escuro suficientemente para ela se despir e apesar das cortinas cerradas, da penumbra, ela se encolhia e se cobria com as mãos, aflita e envergonhada.

Começo: vou te contar. O Herói estava na casa de uma moça: muito bonita, judia, de perna quebrada. Além do Herói uma porção de pessoas estava na casa da moça; essas pessoas não interessam, são irrelevantes; mas não iam embora e o Herói e a Moça Judia se olhavam ansiosos, ainda que de maneira secreta e rapidíssima; e o tempo ia passando e quando parecia que todos iam embora um gaiato inventava de assinar no gesso da perna quebrada ou então em transformar amor em ódio no jogo de palavras inventado pelo Lewis Carol — e tudo começava de novo, para sofrimento do Herói e da Moça Judia. Até que de madrugada resolveram todos se despedir. Um ainda disse: você vai ficar sozinha?, não precisa que alguém fique aqui com você?, e a judia respondeu enfática, a minha empregada dorme aqui comigo, não se preocupe. Afinal saíram todos. Na porta da rua conversaram um pouco, e, em seguida, cada qual seguiu o seu caminho. Como batia o coração do Herói! Quinze minutos depois ele estava de novo na porta do edifício da judia, olhando para a janela do nono andar, onde ela morava; quando ela surgiu os dois se olharam e, mesmo de longe, o olhar deles queimava. Depois a judia embrulhou a chave num papel branco e mirou bem onde o nosso Herói estava e jogou-lhe a chave com incrível pontaria: o embrulhinho foi cair diretamente no fundo do bueiro da rua. Era a chave da portaria do edifício. O Herói ficou desesperado; tentou levantar a grade, tentou enfiar a mão pela abertura da grade, cansou-se nesses labores inúteis; ofegante pelo esforço, xingava a judia de todos os nomes sujos que sabia; depois, desesperado, olhou para a janela e murmurou baixinho, e agora?, e agora?, com tanta dor que ela ouviu e sentiu lá de cima, do nono andar, e respondeu também num murmúrio tão necessitado que desceu como uma gaivota faminta mergulhando no mar e entrou pelos ouvidos do Herói: espera! Esperar? O que iria ela fazer? Se chegasse alguém que abrisse a porta da rua seria tão bom! Mas não chegaria ninguém a uma hora daquelas e se chegasse ele não teria coragem de se aproveitar para entrar no edifício. Mas ele esperou e nada acontecia e por isso começou a sorrir e mesmo a gargalhar com raiva e desprezo, dele mesmo e da judia. De repente parou assustado pois viu um vulto horrível que rastejava como um bicho pelo hall do edifício em direção à porta de entrada, em busca dele, Herói. Seu corpo tremeu de medo, e continuou tremendo mesmo depois que viu o que era aquilo, agora não mais de medo, mas de excitação e fascínio: era a judia que se arrastava deitada sobre a perna engessada e que pouco depois abria a porta. O Herói a pegou no colo e carregou até o elevador e até a cama, sem sentir peso algum pois nunca se sentira tão forte em sua vida.

Ela: O que eles fizeram na cama? Eles... eles — e a perna engessada?!

O que fizeram?! ah! Ouça: o Herói era tarado pela Moça da Perna Quebrada, tarado porque ela era judia, tarado porque os seus cabelos eram cor de fogo, tarado porque o corpo dela era todo coberto de sardas, tarado porque ela era linda, tarado porque estavam no princípio do seu amor — pois bem, depois que ela, para poder ir para cama com ele, fez o que fez, você acha que ambos dariam importância a uma coisa pífia como o gesso de uma perna? han, han!? Eles se engolfaram e se abismaram, se entregaram um ao outro, fruíram-se orgulhosamente... a coisa mais linda que aconteceu na vida deles...

Ela: Você?
Eu *(as lágrimas escorrendo pelo meu rosto)*: Sim... aos vinte e um anos...

Ela: Não chora...
Eu: Não é nada não, é que isso nunca mais vai acontecer, uma dona infernal fazer misérias para dormir comigo.
Ela: E eu?
Eu: E eu?
Ela: Sim. E eu?
Eu: A tua perna não está quebrada.
Ela: Me conta a minha história. Eu quero ouvir a minha história.
Eu: Sem retoques, nem ornamentos?...

Eu conto histórias para ela, histórias de homem, de mulher, de homem-e-mulher: a história da minha jovem vizinha que sai de casa no sábado de carnaval, e volta na quarta-feira de cinzas dizendo: "mais uma vez cheguei em casa inteira, nunca chego sem pedaço"; ou do ascensorista do edifício onde tenho escritório que, sem que ninguém soubesse, morava dentro do elevador — ele, a mulher e dois filhos; ou a história do casal doido de amor que se trancou dentro de um quarto e fornicou sem parar uma semana inteira até ficar com ódio um do outro.

Muitas histórias, mas a história dela eu nunca contei; no entanto a sua complacência me irrita, a casualidade com que ela encara, ou melhor não encara a nossa diferença de idade, a sua docilidade, a sua inteligência, a sua magnífica e arquetípica ignorância, a sua beleza, a sua saúde, a sua tranquilidade me causam raiva, vontade de puni-la.

Eu: Sem retoques nem ornamentos?
Ela: Crua...
Eu: Nua?
Ela: Como convém à verdade.

Vamos começar então dizendo que qualquer semelhança é mera coincidência e a história se chamará a história da mulher cujo marido não lhe dava dinheiro para a sua vaidade. Posso continuar?

"Você é casado, não é? Se não fosse eu não confiava..." Isso depois de uma treta comprida que nós dois terçamos; claro: "Sou".

(Tempos depois, na cama: "Como é o nome de tua mulher?". Não disse. Ela insistiu: "Você não quer dizer?". "Não, meu bem, não quero que ela exista em teus pensamentos, ela tem que ser um peixe no aquário, muda, distante, indiferente.")

"Meu marido não me dá dinheiro para a minha vaidade"... Ela tinha carro —

Ela: Chega.
Eu: Nua e crua...
Ela: Tá bom, continua.

— piscina, casa enorme com todas as máquinas e aparelhos, seis empregados; porém, roupas e joias — nada. Sujeito esquisito: engenheiro; construía em tudo que era canto, tinha tabuleta dele em todo lugar, me perseguia; às vezes eu parava e ficava olhando a placa com o nome dele — aí pensava na mulher. Num dia de maior exaltação tive vontade de trepar numa escada e escrever na tabuleta em seguida ao nome dele: fulano de tal: "corno".

Ela vinha me ver vestida na maior pobreza. Não: simplicidade; nem joias, nem pintura; nada. Isso a piorava? O burro! Melhorava, afastava os rococós, as estilizações, essa porcariada que as mulheres supõem enfeitar, mas que só servem de diversionismo — e aí ela, ah! era só corpo, simetria, fome, retaliação.

Ela: Retaliação?
Eu: O marido não dava dinheiro para a vaidade dela.
Ela: Por que retaliação? E se ela estivesse interessada no amante?
Eu: Um velho?
Ela: E no entanto...
Eu: E no entanto?
Ela: E no entanto mais jovem do que muitos que, que ela conheceu...
Eu: ...Muitos...? —
Ela: Adiante, adiante com a história.

O rosto limpo, toda ela crua, pura — você não conseguia dar um beliscão nela, de tal maneira era esticada a sua pele. Pele? ela não tinha pele, ela só tinha carne, uma carne firme, em todas as partes do corpo, note bem: matava uma pulga espremendo-a com a unha do meu polegar de encontro à barriga dela, se quisesse; tão infernal que me dava vontade de lhe dar cabeçadas no corpo, já que não podia mordê-la. E eu dava cabeçadas no ventre rijo dela, curvado como um touro que quisesse voltar para o verde útero bovino de sua mãe, um útero que fosse Deus e o Nada. E ela segurava a minha cabeça dirigindo seus arremessos — como os de um aríete que fosse trespassá-la rompendo as portas da sua carne — e ria até que nos embolávamos suados e eu sentia o gosto do suor dela na minha boca, nosso suor estalando entre nossas barrigas, o suor empapando minhas pestanas, vaidoso por suar tanto, orgulhoso pelo longo tempo que ficava dentro dela. "Como é o nome de tua mulher?", isso ela perguntava de repente. Ora, ora, o nome da minha mulher eu não podia dizer, isto é definitivo: eu não tinha mulher, era, e sou, solteiro. Inventei um nome: Maria — todas as mulheres deviam se chamar Maria e andar de preto, com as costas e os braços à mostra. "Você gosta que ela ande bonita, a sua mulher?", ela perguntou. "De preto, com os braços e as costas à mostra", respondi. "Ele não. Me deu um Portinari, sabe, mas gosta que eu ande assim." "Assim, assim?", perguntei a ela, deitada na cama, nua como se fosse um sol ou uma cobra. "Não, assim como eu cheguei."

Ela: Você é solteiro?
Eu: Sou.
Ela: História muito instrutiva, essa.
Eu: E um pouco chata, também.
Ela: Chata não, quadrada; começo, meio, fim.
Eu: Fim?
Ela: Você se lembra daquele dia em que fomos à praia juntos?
Eu: Lembro.
Ela: Lembra mesmo?
Eu: Mais ou menos.
Ela: O dia em que resolvemos dar nota às mulheres bonitas da praia. Lembra?
Eu: Agora lembro.
Ela: Passamos por um aleijado, de cabelos compridos e barba e você disse "vamos dar nota para esse cara também", lembra?
Eu: Lembro. Ele estava na última moda; cabelos como do Búfalo Bill, barbicha, ar blasé, e desfilava.
Ela: Você deu zero para ele.
Eu: Dei? Acho que foi por estar na última moda.
Ela: Um aleijado, ainda que na última moda, merecia mais do que zero.
Eu: Dei zero, e não tiro.

Ela: Você naquele dia não deu dez para ninguém. Procurou, procurou na praia enorme, meus pés doíam de tanto andar e nenhum dez. Eu ganhei nove.

Eu: A nota mais alta.

Ela: Você procura coisas impossíveis de serem achadas.

Eu: Rrrr!

Ela: Como a pessoa que seja ao mesmo tempo anão, padre, preto, corcunda e homossexual. Isso não existe.

Eu: Anão, padre, preto, corcunda, homossexual e míope, de óculos. Não desisto, um dia acho, você vai ver.

Ela: Então você se lembra desse dia?

Eu: Lembro.

Ela: Eu lhe pedi que me ajudasse, lembra?

Eu: Lembro.

Ela: E você sumiu, durante meses, lembra?

Eu: Lembro.

Ela: Meses, meses, um dia voltou, dizendo que tinha ido aos Estados Unidos. Lembra?

Eu: Lembro.

Ela: Você tinha ido aos Estados Unidos?

Eu: Não.

(Eu *tinha* ido, mas a verdade, para os efeitos daquela conversa, era que eu *não* tinha ido.)

Ela: Por que você mentiu?

Eu: Achei que se fôssemos para cama juntos você ia querer abandonar o marido e vir viver comigo. Retidão.

Ela: Mas acabamos indo para a cama e eu não abandonei o meu marido.

Eu: Um erro de cálculo meu, felizmente.

Ela: Pois hoje decidi vir aqui, e também te dar uma nota.

Uma nota alta significa que abandonarei o meu marido e virei morar com você.

Ela começa a se vestir enquanto eu protesto, que loucura, pensa bem no que vai fazer, eu não sirvo para casamento, meu gênio não presta, sou um velho solteirão, empedernido...
Calças, cinta-liga, meias, sutiã, anágua, vestido, sapatos — e ela vai para o banheiro...
Sou cheio de manias!, grito para ela ouvir e ela me solta uma gargalhada dessas que nos desenhos animados fazem partir os vidros das janelas. Fico preocupado: é uma gargalhada daquelas feiticeiras de nariz curvo, assexuadas, que tramam a desgraça do mocinho e o mocinho, o mocinho, bolas!, sou eu.
Ela sai do banheiro e ambos estamos sérios. Ela me olha de alto a baixo, o rosto impassível. Um olhar inesperado, que me surpreende.
Encho-me de coragem e pergunto: "Qual a minha nota?".
"Zero", diz ela.
Procuro no meu rosto algo que me diga que tudo não passa de uma brincadeira, mas nada consigo ver, num sentido ou no outro. Ela sai e me deixa sozinho, um velho.

A coleira do cão, **1965**

O DESEMPENHO

Consigo agarrar Rubão, encurralando-o de encontro às cordas. O filho da puta tem base, agarra-se comigo, encosta o rosto no meu rosto para impedir que eu dê cabeçadas na cara dele; estamos abraçados, como dois namorados, quase imóveis — força contra força. O público começa a vaiar. Rubão me dá um pisão no dedo do pé, afrouxo, ele se solta, me dá uma joelhada no estômago, um pontapé no joelho, um tapa na cara. Ouço os gritos. O público está torcendo por ele. Outro bofetão: um esporro danado nas arquibancadas. Não posso dar bola pra isso, não posso dar bola pra isso, não posso dar bola para esses filhos das putas chupadores. Tento agarrá-lo mas ele não deixa, ele quer brigar em pé, ele é ágil, a cutelada dele é um coice.

 Os cinco minutos mais longos da vida são passados num ringue de vale-tudo. Quando o *round* acaba, o primeiro de cinco por um de descanso, eu mal aguento chegar ao meu canto. O Príncipe me abana com a toalha, Pedro Vaselina me massageia. Esses putos estão torcendo por ele, não estão? Deixa isso pra lá, diz Pedro Vaselina. Estão, não estão?, insisto. Estão, diz Pedro Vaselina, não sei o que houve, eles sempre torcem pro boa-pinta mas hoje a escrita não está funcionando. Tento ver as pessoas na arquibancada, filhos das putas, cornos, veados, marafonas, cagões, covardes, chupadores — me dá vontade de tirar o pau pra fora e sacudir na cara deles. Cuidado com ele, quando você der a queda, passa a guarda dele rápido, não fica tentando na ignorância, ele tem base e está inteiro, e você, e você, hein, andou fodendo ontem?

Cada vez que ele te acertar um bife nos cornos não fica olhando para a arquibancada como um cu-de-vaca qualquer, que que há? Tua mãe está lá te olhando? Presta atenção no cara, porra, não tira o olho dele, deixa a torcida pra lá, olho nele, e não se preocupe com a bolachada, não tira pedaço e ele não ganha nada com isso. Quando te deu o último tapa e a turma do poleiro gozou, ele fez tanta firula que parecia uma bicha da Cinelândia. É numa hora dessas que você tem que pegar ele. Paciência, PACIÊNCIA, viu?, poupa energia que você está meio-jogado-fora, diz Pedro Vaselina.

O gongo bate. Estamos no meio do ringue. Rubão faz uma ginga de tórax na minha frente, os pés plantados, movimenta as mãos, esquerda na frente, direita atrás. Fico parado, olhando as mãos dele. Vap! o pontapé me pega na coxa, vou pra cima dele, plaft! uma porrada na cara quase me joga no chão, olho para a arquibancada, o som que vem de lá parece uma chicotada, sou uma besta, que merda, se continuar plaft! dando bola para esses chupadores vou acabar me fodendo-em-copas plaft! — bloqueia, bloqueia, ouço Pedro Vaselina — minha cara deve estar inchada, sinto uma certa dificuldade em ver com o olho esquerdo — levanto a esquerda — bloqueia! — blam! uma cacetada canhota me acerta no lado direito dos cornos — bloqueia! a voz de Pedro Vaselina fica fina como a de uma mulher — levanto as duas mãos — bum! o chute me pega na bunda. Rubão gira e de costas me acerta o pé no pescoço — das arquibancadas vem um som de onda do mar quebrando na praia — com um físico desses você vai acabar no cinema, mulheres, morango com creme, automóvel, apartamento, filme em tecnicolor, dinheiro no banco, onde é que está? corro pra cima dele de braços abertos, vum! o balão me estatela — Rubão pula em cima de mim, vai montar! — estou fugindo rastejo cobra minhoca pra debaixo das cordas — o juiz separa — fico deitado flutuando na vaia injeção de morfina. Gongo.

Estou no meu *corner*. Nunca te vi tão mal, no físico e na técnica, fodeu hoje? anda tomando bolinha? É a primeira vez que um lutador da nossa academia foge por debaixo das cordas, você está mal, que que há contigo? É assim que você quer lutar com o Carlson? com o Ivã? você está fazendo um papel ridículo. Deixa ele, diz o Príncipe. Pedro Vaselina: ele vai ser estraçalhado, conforme for a coisa neste *round* eu vou jogar a toalha. Puxo a cara de Pedro Vaselina para perto da minha, digo cuspindo nos cornos dele, se você jogar a toalha, seu puto, eu te arrebento, enfio um ferro no teu cu, juro por Deus. O Príncipe joga um monte de água em cima de mim, pra ganhar tempo. Gongo.

Estamos no meio do ringue. Tempo, segundos!, diz o juiz — assim molhado não vai, não faz mais isso não — o Príncipe me enxuga fingindo pressa — segundos, fora! diz o juiz. Novamente no meio do ringue. Estou imóvel. Meu coração saiu da garganta, voltou para o peito mas ainda bate forte. Rubão ginga. Olho bem o rosto dele, o cara está com a moral, respira pelo nariz sem trincar os dentes, não há um músculo tenso no seu rosto, sujeito apavorado fica com o olhar de cavalo, mas ele está tranquilo, mal se vê o branco do seu olho. Muito rápido, faz uma negaça, ameaça, eu bloqueio, recebo um pisão no joelho, uma dor horrível, mas ainda bem que foi de cima pra baixo, se fosse na horizontal quebrava a minha perna — Zum! o tapa no ouvido me deixa surdo de um lado, com o outro ouvido escuto a corja delirando na arquibancada — o que foi que eu fiz? eles sempre torceram pra mim, o que foi que eu fiz pra esses escrotos, engolidores de porra plaft, plaft, plaft! ficarem contra mim? — com um físico desses você vai acabar no cinema, Leninha onde é que está você? sua puta — vou recuando, bato com as costas nas cordas, Rubão me agarra — no chão! guincha Pedro Vaselina — eu ainda estou bloqueando e já é tarde: Rubão me dá uma joelhada no estômago, se afasta; pela primeira vez fica imóvel, a uns dois metros de distância, me olhando, deve estar pensando em partir pra uma finalização — estou zonzo, mas ele é cauteloso, quer ter certeza, sabe que no chão eu sou melhor e por isso não quer se arriscar, quer me cansar primeiro, não vai no escuro — sinto uma vontade doida de baixar os braços, meus olhos ardem de suor, não consigo engolir a gosma branca agarrada na minha língua — levanto o braço, armo uma cutelada, ameaço — ele não se mexe — dou um passo à frente — ele não se mexe — dou outro passo à frente — ele dá um passo à frente — nós dois damos um lento passo à frente e nos abraçamos — o suor do corpo dele me faz sentir o suor do meu corpo — a dureza dos músculos dele me faz sentir a dureza dos meus músculos — o sopro da respiração dele me faz sentir o sopro da minha respiração — Rubão me abraça sob os meus braços — eu tento uma gravata — ele coloca a perna direita por trás da minha perna direita, tenta me derrubar — minhas últimas forças — Leninha, coitada — o cara vai me derrubar — tento me agarrar nas cordas como um escroto arreglador — o tempo não anda — eu queria lutar no chão, agora quero ir pra casa — Leninha — caio de costas, giro antes da montanha dele — Rubão me pega na gravata, me imobiliza — tum, tum, tum! três joelhadas seguidas na boca e no nariz — gongo — Rubão vai para o seu canto debaixo de aplausos.

Pedro Vaselina não diz uma palavra, com rosto triste de segundo, de perdedor. É fogo, meu chapa, diz o Príncipe limpando o meu suor. É foda, respondo, um dente balança na minha boca, preso apenas na gengiva. Meto a mão, arranco o dente com raiva e jogo na direção dos chupadores. Todos vaiam. Não faz isso não, diz Pedro Vaselina dando água para eu bochechar, não adianta provocar. Cuspo fora do balde a água vermelha de sangue, pra ver se cai em cima de algum chupador. Gongo. Ao centro, diz o juiz.

Rubão está inteirinho, eu estou podre. Nem sei em que *round* estamos. É o último? Último ou penúltimo, Rubão vai querer me liquidar agora. Parto para cima dele para ver se acerto uma cabeçada no seu rosto — Rubão se desvia, me segura entre as pernas, me joga fora do ringue — os chupadores deliram — tenho vontade de ir embora — se fosse valente ia embora, de calção mesmo — pra onde! — o juiz está contando — ir embora — há sempre um juiz contando — automóvel, apartamento, mulheres, dinheiro — sempre um juiz — *pulley* de oitenta quilos, rosca de quarenta, vida dura — Rubão está me esperando, o juiz está com a mão no peito dele, para que não me ataque no momento em que estiver voltando — estou mesmo fodido — me curvo, entro no ringue — ao centro, diz o juiz — Rubão me agarra, me derruba — rolamos pela lona, ele fica preso na minha guarda — entre as minhas pernas com a cara no meu pau — ficamos algum tempo assim, descansando — Rubão projeta o corpo para a frente e acerta uma cabeçada no meu rosto — sangue enche a minha boca de um gosto doce enjoado — bato com as duas mãos espalmadas nos seus ouvidos, Rubão desce um pouco o corpo — subitamente ele ultrapassa a minha perna esquerda numa montada parcial — estou fodido, se ele completar a montada estou fodido e malpago, fodido e trumbicado, fodido e estraçalhado, fodido e acabado — ele faz uma pequena parada antes de tentar a montada definitivamente — fodido, fodido! — dou uma virada forte, rolamos pela lona, paramos, puta que pariu! comigo montado-montada-completa em cima dele, puta que pariu! meus joelhos no chão, o tórax dele entre as minhas pernas imobilizado — montei! puta que pariu! montei! — alegria, alegria, vento quente de ódio da corja que ria de me ver apanhando na cara — canalha de chupadores putos escrotos covardes — golpeio a cara de Rubão bem em cima do nariz, um, dois, três — agora na boca — de novo no nariz — pau, cacete, porrada — sinto o osso quebrando — Rubão levanta os braços para tentar impedir os golpes, sangue começa a brotar de toda a sua cara, da boca, do nariz, dos olhos, dos ouvidos, da pele — a chave de braço, a chave de braço! grita Pedro Vaselina, enfiando a cabeça por baixo das cordas — é fácil dar uma chave de braço numa montada, pra se defender, quem está embaixo tem que botar os braços pra cima, basta cair para um dos lados com o braço dele entre as pernas, o sujeito é obrigado a bater na lona — um silêncio de morte no estádio — a chave de braço! grita o Príncipe — Rubão me oferece o braço para acabar com o sofrimento, para ele poder bater no chão desistindo, desistir na chave é digno, desistir debaixo de pau é vergonhoso — os chupadores e putas fizeram silêncio, gritem! — a cara de Rubão é uma pasta vermelha, gritem! — Rubão fecha os olhos, cobre o rosto com as mãos — homem montado não pede penico — Rubão deve estar rezando para desmaiar e acabar tudo, já viu que eu não vou lhe dar a chave da misericórdia — corja — minhas mãos doem, bato nele com os cotovelos — o juiz se ajoelha, Rubão desmaiou, o juiz me tira de cima dele — no meio do ringue o juiz levanta meus braços — as luzes estão acesas, de pé, nas arquibancadas, homens e mulheres aplaudem e gritam o meu nome — levanto os braços bem no alto — dou pulos de alegria — os aplausos aumentam — dou saltos — aplausos cada vez mais fortes — olho comovido a arquibancada cheia de admiradores e curvo-me enviando beijos para os quatro cantos do estádio.

Lúcia McCartney, **1969**

O encontro e o confronto

Roberto abre a porta.
"Você que é o Roberto?" Duas jovens.
"Sou."
"E o seu primo?"
"Ainda não chegou."
Altas, elaboradamente vestidas, pintadas e penteadas.
"Posso telefonar?"
"À vontade. Vocês querem tomar alguma coisa? Uísque, cerveja..."
"Uísque."
"Qual de vocês duas é a Renata?"
"Eu" (ao telefone).
"Meu nome é Kátia" (a outra).
Roberto abre uma porta e surge uma quitinete; prepara as bebidas.
"O seu primo vem?", pergunta Kátia.
"Vem, vem", diz Roberto. "Quantos anos você tem?"
"Vinte", diz Renata.
"Eu tenho vinte e dois", diz Kátia.
Os três bebem em silêncio.
"Você está triste?"
"Eu? Não, não", responde Roberto.
"Você está tão calado..."
"Eu sou assim mesmo..."
"A Rutinha diz que você fala tanto..."
"Que Rutinha?".
"A Ruth, Jacqueline —"

"Ah!"

Roberto coça a sobrancelha.

"Hoje é dia do meu aniversário", diz Renata.

"Meus parabéns", diz Roberto, beijando Renata no rosto. "Você é noiva?"

Renata tira a aliança do dedo. "Sou mesmo. Olha." Dá a aliança para Roberto, mostrando o nome gravado na parte interna. Roberto olha, sem conseguir ler o que está escrito.

Renata abre a bolsa. "Este aqui é o meu noivo." Um retrato três por quatro. Um rosto. No verso, letra redonda: "para Renata, meu amor, com carinho J. Gomes."

"Esta aqui é a senhora minha mãe." Outra fotografia três por quatro. Uma mulher gorda; um pescoço imensamente grosso.

"E este é o meu finado pai." Uma fotografia maior. Seis por nove. Um homem calvo, de rosto fino, e três meninas. O homem está acocorado, de perfil, duas meninas estão brincando com uma boneca e a terceira está olhando para a câmera. "Esta aqui sou eu", diz Renata apontando para a menina que não está brincando.

"Muito bem", diz Roberto devolvendo as fotografias para Renata.

Chega Chico.

"Este é o Chico", diz Roberto.

"Com licença, minhas queridas", diz Chico.

Roberto e Chico se trancam no banheiro.

"Com qual você quer ficar?", pergunta Chico.

"Eu quero ficar com a morena", diz Roberto. "Estou fascinado por ela. Ela tem uma perna roliça de americana dos *roaring twenties*. Parece que a qualquer momento vai dançar o charleston."

"Está bem. Você fica com a morena."

"Ela me mostrou três retratos e disse esta é a senhora minha mãe, este é meu finado pai, este é o meu noivo. E o nome dele é J. Gomes."

"Se ela chamasse o pai de meu pranteado pai ainda era melhor."

"Eu falo com ela."

"Você acha que a outra, a loura suculenta, gostou de mim?" (Uma ruga na testa de Chico.)

"Gostou."

"Não sei..."

"Você quer trocar?"

"Não, não precisa."

"Ela é grande mas é enxuta. O que importa são os quarenta centímetros que vão — na frente: da ponta da costela ao púbis; e atrás: da beira dos dois hemisférios do bumbum até a sexta vértebra. Aí é que não pode haver gordura. Abaixo a gordura!"

"O que que vocês estão fazendo aí dentro?", grita Kátia.

"Conversando", diz Roberto.

"Abraçadinhos?", pergunta Renata.

"Não." Chico abre a porta.

"Um brinde ao *blind date*", diz Roberto.

Todos bebem.

"À saúde de J. Gomes", diz Roberto.

Todos bebem.

"Você é muito bonzinho", diz Renata.

Roberto e Renata se abraçam. Beijam-se na boca.

"Vocês moram aqui?", pergunta Kátia.

"Isto é o nosso Valhala", diz Chico.

"Benzinho, eu tenho que ir embora às oito horas... outro dia fico mais tempo com você...", diz Renata no ouvido de Roberto.

"OK", diz Roberto.

"... faço jantar para você."

"Falar segredinho é falta de educação", diz Kátia.

"... gamei por você", continua Renata.

"Vou tomar banho. Você quer tomar banho comigo?", pergunta Roberto.

"Você tem touca?", pergunta Renata.

Roberto apresenta duas, de plástico. Renata coloca uma na cabeça.

No chuveiro: "Você disse meu finado pai. Ele morreu há muito tempo?"

"Eu tinha dez anos."

Renata ensaboa Roberto.

"Eu saí a ele. Mamãe é muito feia."

"Eu vi o retrato. Você chorou muito quando o seu pai morreu?"

"Chorei. Acho que chorei."

"Então por que você não chama ele de pranteado?"

"Pranteado?"

"Pranteado pai."

"Não sei."

"Pranteado é muito mais bonito que finado."

"Você acha?"

"Acho. Vamos, diga — pranteado pai, meu pranteado pai."

"Que bobagem..."

"Bobagem? A morte do seu pai é bobagem? Vamos: pran--te-a-do pai."

"Pranteado pai..."

"Meu pranteado pai."

"Meu pranteado pai."

"Viu? Não é mais bonito? E mais culto. Pranteado é uma palavra muito mais sofisticada que finado."

Renata enxuga Roberto.

"Se você chegar na sala e disser, 'Chico, já te mostrei o retrato do meu pranteado pai?', ele vai adorar."

"Assim? Não é melhor eu me enrolar numa toalha?"

"Só a parte de baixo. Faz de conta que nós estamos em Samoa."

Renata enrola na cintura uma toalha de listras azuis, vermelhas, brancas e verdes.

No *sommier* da sala Chico e Kátia estão de mãos dadas.

"Chico, já te mostrei o retrato do meu pranteado pai?", pergunta Renata.

"Meu bichinho de Deus, o mundo é um vale de lágrimas", diz Chico.

"O que você faz?", pergunta Kátia.

"Sou um dublê de entomólogo e telepata", diz Chico.

"Benzinho...", diz Renata.

"Eu vou para o quarto. Você fica aqui, OK?", pergunta Roberto.

"Fico", responde Chico.

O quarto é separado da sala por uma porta de vidro fosco.

Roberto e Renata entram no quarto, fecham a porta e apagam a luz.

Na sala: "Qual de nós dois é o mais velho?", pergunta Chico a Kátia.

"Não sei..."

"Vamos, diga! Eu ou ele?"

"Você?"

"É ele, minha cara. Ele!"

"Vocês parecem da mesma idade."

"Hei, vocês aí dentro. Vocês estão fornicando no escuro, em silêncio, como dois coveiros?", grita Chico.

"O que é bom para o Henry é bom para nós", responde Roberto.

"*Touché!*", grita Chico. "*Touché!*, viu?, *touché*, clichê, michê."
Kátia tira a roupa.
"*La chair est triste, hélas, et j'ai lu tous les livres*", diz Chico.
"O que foi que você disse?"
"O meu epitáfio. O que seria o meu epitáfio, se o Mallarmé não tivesse escrito essa merda antes. Também o cara nasceu cem anos na frente. Você não sabe francês não, sua analfabeta?"
"Me ensina", diz Kátia se debruçando sobre o corpo nu de Chico.
Ouve-se a respiração de Renata e Roberto.
Kátia: gemidos, suspiros, gritos.
Tempo.
Chico: "Roberto! Você já acabou?".
"Benzinho, você é o máximo. Te adorei. Quero te encontrar de novo", sussurra Renata no ouvido de Roberto.
Roberto e Renata vão para o banheiro.
Renata: "Promete que me vê de novo."
Roberto: "Prometo que te vejo de novo."
"Quando?"
"Qualquer dia destes."
"Esta semana?"
"Talvez."
"Você me telefona?"
"Telefono."
"Quando?"
"Qualquer dia destes."
"Eu te amo. Estou gamada."
"E vice-versa."
"Diz que gosta de mim."
"Eu já disse: e vice-versa quer dizer que eu te amo."
"Não quero que você me dê dinheiro."

"Da próxima vez. Hoje eu dou."

"Da próxima vez você dá. Hoje não."

"Hoje sim. Da próxima vez não. Pode não haver próxima vez."

"Benzinho... por favor..."

Renata se enrosca em Roberto.

Chico e Kátia entram no banheiro.

"Laocoonte sendo destruído pela serpente", diz Chico.

"Você precisa parar com o halterofilismo, meu caro. Você está ficando com a grossura do Doríforo de Policleto."

"Teu cotovelo está machucando a minha costela", diz Roberto.

Renata larga Roberto.

"A fossa de Mindanau tem dez mil, quatrocentos e noventa e sete metros de profundidade. E no fundo a escuridão é tão grande que os peixes são cegos. A cegueira também é um remédio. *Et tout le reste est littérature.*"

"*Words, words, words*", diz Roberto.

"Você sabe inglês, minha vênus calipígia? *If I should die, said I to myself, I have left no immortal work behind me — nothing to make my friends proud of my memory — but I have loved the principle of beauty in all things, and if I had time I would have made myself remembered.*"

"Que coisa bonita. Não entendi nada mas achei bonito."

"*Pauperum spiriti est regnum coelorum*", diz Chico.

"Traduz", diz Kátia.

"A inocência triunfa no paraíso. Mas no inferno o que vale é a experiência. Está na Bíblia."

"Eu faço ioga", diz Kátia.

"É mesmo?"

"Eu fico igual a uma cobra. Minha casa é toda lilás. Lilás traz bons fluidos para dentro de casa. É a cor da vida. Deixe na sua mesa um raminho de flor lilás."

"Qualquer flor? Existe flor lilás?"

"Orquídeas. A minha é artificial. Você dorme bem?"

"Mal."

"Concentra no lilás."

"Vocês podem se vestir", diz Roberto.

Roberto e Chico enrolam toalhas em torno da cintura.

Kátia e Renata colocam as calças, as ligas, prendem as meias nas ligas. Roberto e Chico dançam como se fossem havaianos.

Kátia e Renata estão vestidas.

Chico põe dinheiro, em notas dobradas, dentro da bolsa de cada uma.

"Qual é o teu nome verdadeiro?", pergunta Chico.

"Isilda", responde Kátia.

Renata abraça Roberto: "Você jurou, daquela tua maneira maluquinha vice-versa, mas jurou que ia me ver."

Roberto dá um beijo na testa de Renata.

Chico beija as mãos de Kátia.

Roberto e Chico estão sós. Chico senta-se no sofá, pernas esticadas numa cadeira. Roberto senta-se na poltrona.

Tempo.

"É uma pena nós não sermos homossexuais. Essas putas não sabem entender o nosso *wit*."

Lúcia McCartney, **1969**

Feliz ano novo

Vi na televisão que as lojas bacanas estavam vendendo adoidado roupas ricas para as madames vestirem no réveillon. Vi também que as casas de artigos finos para comer e beber tinham vendido todo o estoque.

Pereba, vou ter que esperar o dia raiar e apanhar cachaça, galinha morta e farofa dos macumbeiros.

Pereba entrou no banheiro e disse, que fedor.

Vai mijar noutro lugar, tô sem água.

Pereba saiu e foi mijar na escada.

Onde você afanou a TV?, Pereba perguntou.

Afanei porra nenhuma. Comprei. O recibo está bem em cima dela. Ô Pereba! você pensa que eu sou algum babaquara para ter coisa estarrada no meu cafofo?

Tô morrendo de fome, disse Pereba.

De manhã a gente enche a barriga com os despachos dos babalaôs, eu disse, só de sacanagem.

Não conte comigo, disse Pereba. Lembra do Crispim? Deu um bico numa macumba aqui na Borges de Medeiros, a perna ficou preta, cortaram no Miguel Couto e tá ele aí, fudidão, andando de muleta.

Pereba sempre foi supersticioso. Eu não. Tenho ginásio, sei ler, escrever e fazer raiz quadrada. Chuto a macumba que quiser.

Acendemos uns baseados e ficamos vendo a novela. Merda. Mudamos de canal, prum bangue-bangue. Outra bosta.

As madames granfas tão todas de roupa nova, vão entrar o Ano-novo dançando com os braços pro alto, já viu como as branquelas dançam? Levantam os braços pro alto, acho que é pra mostrar o sovaco, elas querem mesmo é mostrar a boceta mas não têm culhão e mostram o sovaco. Todas corneiam os maridos. Você sabia que a vida delas é dar a xoxota por aí?

Pena que não tão dando pra gente, disse Pereba. Ele falava devagar, gozador, cansado, doente.

Pereba, você não tem dentes, é vesgo, preto e pobre, você acha que as madames vão dar pra você? Ô Pereba, o máximo que você pode fazer é tocar uma punheta. Fecha os olhos e manda brasa.

Eu queria ser rico, sair da merda em que estava metido! Tanta gente rica e eu fudido.

Zequinha entrou na sala, viu Pereba tocando punheta e disse, que é isso Pereba?

Michou, michou, assim não é possível, disse Pereba.

Por que você não foi para o banheiro descascar sua bronha?, disse Zequinha.

No banheiro tá um fedor danado, disse Pereba.

Tô sem água.

As mulheres aqui do conjunto não estão mais dando?, perguntou Zequinha.

Ele tava homenageando uma loura bacana, de vestido de baile e cheia de joias.

Ela tava nua, disse Pereba.

Já vi que vocês tão na merda, disse Zequinha.

Ele tá querendo comer restos de Iemanjá, disse Pereba.

Brincadeira, eu disse. Afinal, eu e Zequinha tínhamos assaltado um supermercado no Leblon, não tinha dado muita grana, mas passamos um tempão em São Paulo na boca do lixo, bebendo e comendo as mulheres. A gente se respeitava.

Pra falar a verdade a maré também não tá boa pro meu lado, disse Zequinha. A barra tá pesada. Os homens não tão brincando, viu o que fizeram com o Bom Crioulo? Dezesseis tiros no quengo. Pegaram o Vevé e estrangularam. O Minhoca, porra! O Minhoca! crescemos juntos em Caxias, o cara era tão míope que não enxergava daqui até ali, e também era meio gago — pegaram ele e jogaram dentro do Guandu, todo arrebentado.

Pior foi com o Tripé. Tacaram fogo nele. Virou torresmo.

Os homens não tão dando sopa, disse Pereba. E frango de macumba eu não como.

Depois de amanhã vocês vão ver.

Vão ver o quê?, perguntou Zequinha.

Só tô esperando o Lambreta chegar de São Paulo.

Porra, tu tá transando com o Lambreta?, disse Zequinha.

As ferramentas dele tão todas aqui.

Aqui!?, disse Zequinha. Você tá louco.

Eu ri.

Quais são os ferros que você tem?, perguntou Zequinha.

Uma Thompson lata de goiabada, uma carabina doze, de cano serrado, e duas Magnum.

Puta que pariu, disse Zequinha. E vocês montados nessa baba tão aqui tocando punheta?

Esperando o dia raiar para comer farofa de macumba, disse Pereba. Ele faria sucesso falando daquele jeito na TV, ia matar as pessoas de rir.

Fumamos. Esvaziamos uma pitu.

Posso ver o material?, disse Zequinha.

Descemos pelas escadas, o elevador não funcionava, e fomos no apartamento de dona Candinha. Batemos. A velha abriu a porta.

Dona Candinha, boa noite, vim apanhar aquele pacote.

O Lambreta já chegou?, disse a preta velha.

Já, eu disse, está lá em cima.

A velha trouxe o pacote, caminhando com esforço. O peso era demais para ela. Cuidado, meus filhos, ela disse.

Subimos pelas escadas e voltamos para o meu apartamento. Abri o pacote. Armei primeiro a lata de goiabada e dei pro Zequinha segurar. Me amarro nessa máquina, tarratátátátá!, disse Zequinha.

É antigo mas não falha, eu disse.

Zequinha pegou a Magnum. Joia, joia, ele disse. Depois segurou a doze, colocou a culatra no ombro e disse: ainda dou um tiro com esta belezinha nos peitos de um tira, bem de perto, sabe como é, pra jogar o puto de costas na parede e deixar ele pregado lá.

Botamos tudo em cima da mesa e ficamos olhando.

Fumamos mais um pouco.

Quando é que vocês vão usar o material?, disse Zequinha.

Dia 2. Vamos estourar um banco na Penha. O Lambreta quer fazer o primeiro gol do ano.

Ele é um cara vaidoso, disse Zequinha.

É vaidoso mas merece. Já trabalhou em São Paulo, Curitiba, Florianópolis, Porto Alegre, Vitória, Niterói, para não falar aqui no Rio. Mais de trinta bancos.

É, mas dizem que ele dá o bozó, disse Zequinha.

Não sei se dá, nem tenho peito de perguntar. Pra cima de mim nunca veio com frescuras.

Você já viu ele com mulher?, disse Zequinha.

Não, nunca vi. Sei lá, pode ser verdade, mas que importa?

Homem não deve dar o cu. Ainda mais um cara importante como o Lambreta, disse Zequinha.

Cara importante faz o que quer, eu disse.

É verdade, disse Zequinha.

Ficamos calados, fumando.

Os ferros na mão e a gente nada, disse Zequinha.

O material é do Lambreta. E aonde é que a gente ia usar ele numa hora destas?

Zequinha chupou ar, fingindo que tinha coisas entre os dentes. Acho que ele também estava com fome.

Eu tava pensando a gente invadir uma casa bacana que tá dando festa. O mulherio tá cheio de joia e eu tenho um cara que compra tudo o que eu levar. E os barbados tão cheios de grana na carteira. Você sabe que tem anel que vale cinco milhas e colar de quinze nesse intruja que eu conheço? Ele paga na hora.

O fumo acabou. A cachaça também. Começou a chover.

Lá se foi a tua farofa, disse Pereba.

Que casa? Você tem alguma em vista?

Não, mas tá cheio de casa de rico por aí. A gente puxa um carro e sai procurando.

Coloquei a lata de goiabada numa saca de feira, junto com a munição. Dei uma Magnum pro Pereba, outra pro Zequinha. Prendi a carabina no cinto, o cano para baixo, e vesti uma capa. Apanhei três meias de mulher e uma tesoura. Vamos, eu disse.

Puxamos um Opala. Seguimos para os lados de São Conrado. Passamos várias casas que não davam pé, ou tavam muito perto da rua ou tinham gente demais. Até que achamos o lugar perfeito. Tinha na frente um jardim grande e a casa ficava lá no fundo, isolada. A gente ouvia barulho de música de carnaval, mas poucas vozes cantando. Botamos as meias na cara. Cortei com a tesoura os buracos dos olhos. Entramos pela porta principal.

Eles estavam bebendo e dançando num salão quando viram a gente.

É um assalto, gritei bem alto, para abafar o som da vitrola. Se vocês ficarem quietos ninguém se machuca. Você aí, apaga essa porra dessa vitrola!

Pereba e Zequinha foram procurar os empregados e vieram com três garçons e duas cozinheiras. Deita todo mundo, eu disse.

Contei. Eram vinte e cinco pessoas. Todos deitados em silêncio, quietos, como se não estivessem sendo vistos nem vendo nada.

Tem mais alguém em casa?, eu perguntei.

Minha mãe. Ela está lá em cima no quarto. É uma senhora doente, disse uma mulher toda enfeitada, de vestido longo vermelho. Devia ser a dona da casa.

Crianças?

Estão em Cabo Frio, com os tios.

Gonçalves, vai lá em cima com a gordinha e traz a mãe dela.

Gonçalves?, disse Pereba.

É você mesmo. Tu não sabe mais o teu nome, ô burro?

Pereba pegou a mulher e subiu as escadas.

Inocêncio, amarra os barbados.

Zequinha amarrou os caras usando cintos, fios de cortinas, fios de telefones, tudo que encontrou.

Revistamos os sujeitos. Muito pouca grana. Os putos estavam cheios de cartões de crédito e talões de cheques. Os relógios eram bons, de ouro e platina. Arrancamos as joias das mulheres. Um bocado de ouro e brilhante. Botamos tudo na saca.

Pereba desceu as escadas sozinho.

Cadê as mulheres?, eu disse.

Engrossaram e eu tive que botar respeito.

Subi. A gordinha estava na cama, as roupas rasgadas, a língua de fora. Mortinha. Pra que ficou de flozô e não deu logo? O Pereba tava atrasado. Além de fodida, mal paga. Limpei as joias. A velha tava no corredor, caída no chão. Também tinha batido as botas. Toda penteada, aquele cabelão armado, pintado de louro, de roupa nova, rosto encarquilhado, esperando o Ano-novo, mas já tava mais pra lá do que pra cá. Acho que morreu de susto. Arranquei os colares, broches e anéis. Tinha um anel que não saía. Com nojo, molhei de saliva o dedo da velha, mas mesmo assim o anel não saía. Fiquei puto e dei uma dentada, arrancando o dedo dela. Enfiei tudo dentro de uma fronha. O quarto da gordinha tinha as paredes forradas de couro. A banheira era um buraco quadrado grande de mármore branco, enfiado no chão. A parede toda de espelhos. Tudo perfumado. Voltei para o quarto, empurrei a gordinha para o chão, arrumei a colcha de cetim da cama com cuidado, ela ficou lisinha, brilhando. Tirei as calças e caguei em cima da colcha. Foi um alívio, muito legal. Depois limpei o cu na colcha, botei as calças e desci.

Vamos comer, eu disse, botando a fronha dentro da saca.

Os homens e mulheres no chão estavam todos quietos e encagaçados, como carneirinhos. Para assustar ainda mais eu disse, o puto que se mexer eu estouro os miolos.

Então, de repente, um deles disse, calmamente, não se irritem, levem o que quiserem, não faremos nada.

Fiquei olhando para ele. Usava um lenço de seda colorida em volta do pescoço.

Podem também comer e beber à vontade, ele disse.

Filha da puta. As bebidas, as comidas, as joias, o dinheiro, tudo aquilo para eles era migalha. Tinham muito mais no banco. Para eles, nós não passávamos de três moscas no açucareiro.

Como é seu nome?

Maurício, ele disse.

Seu Maurício, o senhor quer se levantar, por favor?

Ele se levantou. Desamarrei os braços dele.

Muito obrigado, ele disse. Vê-se que o senhor é um homem educado, instruído. Os senhores podem ir embora, que não daremos queixa à polícia. Ele disse isso olhando para os outros, que estavam quietos apavorados no chão, e fazendo um gesto com as mãos abertas, como quem diz, calma minha gente, já levei este bunda-suja no papo.

Inocêncio, você já acabou de comer? Me traz uma perna de peru dessas aí. Em cima de uma mesa tinha comida que dava para alimentar o presídio inteiro. Comi a perna de peru. Apanhei a carabina doze e carreguei os dois canos.

Seu Maurício, quer fazer o favor de chegar perto da parede?

Ele se encostou na parede.

Encostado não, não, uns dois metros de distância. Mais um pouquinho para cá. Aí. Muito obrigado.

Atirei bem no meio do peito dele, esvaziando os dois canos, aquele tremendo trovão. O impacto jogou o cara com força contra a parede. Ele foi escorregando lentamente e ficou sentado no chão. No peito dele tinha um buraco que dava para colocar um panetone.

Viu, não grudou o cara na parede, porra nenhuma.

Tem que ser na madeira, numa porta. Parede não dá, Zequinha disse.

Os caras deitados no chão estavam de olhos fechados, nem se mexiam. Não se ouvia nada, a não ser os arrotos do Pereba.

Você aí, levante-se, disse Zequinha. O sacana tinha escolhido um cara magrinho, de cabelos compridos.

Por favor, o sujeito disse, bem baixinho.

Fica de costas para a parede, disse Zequinha.

Carreguei os dois canos da doze. Atira você, o coice dela machucou o meu ombro. Apoia bem a culatra senão ela te quebra a clavícula.

Vê como esse vai grudar. Zequinha atirou. O cara voou, os pés saíram do chão, foi bonito, como se ele tivesse dado um salto para trás. Bateu com estrondo na porta e ficou ali grudado. Foi pouco tempo, mas o corpo do cara ficou preso pelo chumbo grosso na madeira.

Eu não disse?, Zequinha esfregou o ombro dolorido. Esse canhão é foda.

Não vais comer uma bacana destas?, perguntou Pereba.

Não estou a fim. Tenho nojo dessas mulheres. Tô cagando pra elas. Só como mulher que eu gosto.

E você... Inocêncio?

Acho que vou papar aquela moreninha.

A garota tentou atrapalhar, mas Zequinha deu uns murros nos cornos dela, ela sossegou e ficou quieta, de olhos abertos, olhando para o teto, enquanto era executada no sofá.

Vamos embora, eu disse. Enchemos toalhas e fronhas com comidas e objetos.

Muito obrigado pela cooperação de todos, eu disse. Ninguém respondeu.

Saímos. Entramos no Opala e voltamos para casa.

Disse para o Pereba, larga o rodante numa rua deserta de Botafogo, pega um táxi e volta. Eu e Zequinha saltamos.

Este edifício está mesmo fudido, disse Zequinha, enquanto subíamos, com o material, pelas escadas imundas e arrebentadas.

Fudido mas é zona sul, perto da praia. Tás querendo que eu vá morar em Nilópolis?

Chegamos lá em cima cansados. Botei as ferramentas no pacote, as joias e o dinheiro na saca e levei para o apartamento da preta velha.

Dona Candinha, eu disse, mostrando a saca, é coisa quente.

Pode deixar, meus filhos. Os homens aqui não vêm.

Subimos. Coloquei as garrafas e as comidas em cima de uma toalha no chão. Zequinha quis beber e eu não deixei. Vamos esperar o Pereba.

Quando o Pereba chegou, eu enchi os copos e disse, que o próximo ano seja melhor. Feliz Ano-novo.

***Feliz ano novo*, 1975**

Passeio noturno (Parte I)

Cheguei em casa carregando a pasta cheia de papéis, relatórios, estudos, pesquisas, propostas, contratos. Minha mulher, jogando paciência na cama, um copo de uísque na mesa de cabeceira, disse, sem tirar os olhos das cartas, você está com um ar cansado. Os sons da casa: minha filha no quarto dela treinando empostação de voz, a música quadrifônica do quarto do meu filho. Você não vai largar essa mala?, perguntou minha mulher, tira essa roupa, bebe um uisquinho, você precisa aprender a relaxar.

Fui para a biblioteca, o lugar da casa onde gostava de ficar isolado e como sempre não fiz nada. Abri o volume de pesquisas sobre a mesa, não via as letras e números, eu esperava apenas. Você não para de trabalhar, aposto que os teus sócios não trabalham nem a metade e ganham a mesma coisa, entrou a minha mulher na sala com o copo na mão, já posso mandar servir o jantar?

A copeira servia à francesa, meus filhos tinham crescido, eu e a minha mulher estávamos gordos. É aquele vinho que você gosta, ela estalou a língua com prazer. Meu filho me pediu dinheiro quando estávamos no cafezinho, minha filha me pediu dinheiro na hora do licor. Minha mulher nada pediu, nós tínhamos conta bancária conjunta.

Vamos dar uma volta de carro?, convidei. Eu sabia que ela não ia, era hora da novela. Não sei que graça você acha em passear de carro todas as noites, também aquele carro custou uma fortuna, tem que ser usado, eu é que cada vez me apego menos aos bens materiais, minha mulher respondeu.

Os carros dos meninos bloqueavam a porta da garagem, impedindo que eu tirasse o meu. Tirei os carros dos dois, botei na rua, tirei o meu, botei na rua, coloquei os dois carros novamente na garagem, fechei a porta, essas manobras todas me deixaram levemente irritado, mas ao ver os para-choques salientes do meu carro, o reforço especial duplo de aço cromado, senti o coração bater apressado de euforia. Enfiei a chave na ignição, era um motor poderoso que gerava a sua força em silêncio, escondido no capô aerodinâmico. Saí, como sempre sem saber para onde ir, tinha que ser uma rua deserta, nesta cidade que tem mais gente do que moscas. Na avenida Brasil, ali não podia ser, muito movimento. Cheguei numa rua mal-iluminada, cheia de árvores escuras, o lugar ideal. Homem ou mulher? Realmente não fazia grande diferença, mas não aparecia ninguém em condições, comecei a ficar tenso, isso sempre acontecia, eu até gostava, o alívio era maior. Então vi a mulher, podia ser ela, ainda que mulher fosse menos emocionante, por ser mais fácil. Ela caminhava apressadamente, carregando um embrulho de papel ordinário, coisas de padaria ou de quitanda, estava de saia e blusa, andava depressa, havia árvores na calçada, de vinte em vinte metros, um interessante problema a exigir uma grande dose de perícia. Apaguei as luzes do carro e acelerei. Ela só percebeu que eu ia para cima dela quando ouviu o som da borracha dos pneus batendo no meio-fio. Peguei a mulher acima dos joelhos, bem no meio das duas pernas, um pouco mais sobre a esquerda, um golpe perfeito, ouvi o barulho do impacto partindo os dois ossões, dei uma guinada rápida para a esquerda, passei como um foguete rente a uma das árvores e deslizei com os pneus cantando, de volta para o asfalto. Motor bom, o meu, ia de zero a cem quilômetros em nove segundos. Ainda deu para ver que o corpo todo desengonçado da mulher havia ido parar, colorido de sangue, em cima de um muro, desses baixinhos de casa de subúrbio. Examinei o carro na garagem. Corri orgulhosamente a mão de leve pelos para-lamas, os para-choques sem marca. Poucas pessoas, no mundo inteiro, igualavam a minha habilidade no uso daquelas máquinas.

A família estava vendo televisão. Deu a sua voltinha, agora está mais calmo?, perguntou minha mulher, deitada no sofá, olhando fixamente o vídeo. Vou dormir, boa noite para todos, respondi, amanhã vou ter um dia terrível na companhia.

Feliz ano novo, **1975**

O outro

Eu chegava todo dia no meu escritório às oito e trinta da manhã. O carro parava na porta do prédio e eu saltava, andava dez ou quinze passos, e entrava.

Como todo executivo, eu passava as manhãs dando telefonemas, lendo memorandos, ditando cartas à minha secretária e me exasperando com problemas. Quando chegava a hora do almoço, eu havia trabalhado duramente. Mas sempre tinha a impressão de que não havia feito nada de útil.

Almoçava em uma hora, às vezes uma hora e meia, num dos restaurantes das proximidades, e voltava para o escritório. Havia dias em que eu falava mais de cinquenta vezes ao telefone. As cartas eram tantas que a minha secretária, ou um dos assistentes, assinava por mim. E, sempre, no fim do dia, eu tinha a impressão de que não havia feito tudo o que precisava ter feito. Corria contra o tempo. Quando havia um feriado no meio da semana, eu me irritava, pois era menos tempo que eu tinha. Levava diariamente trabalho para casa, em casa podia produzir melhor, o telefone não me chamava tanto.

Um dia comecei a sentir uma forte taquicardia. Aliás, nesse mesmo dia, ao chegar pela manhã ao escritório surgiu ao meu lado, na calçada, um sujeito que me acompanhou até a porta dizendo "doutor, doutor, será que o senhor podia me ajudar?". Dei uns trocados a ele e entrei. Pouco depois, quando estava falando no telefone para São Paulo, o meu coração disparou. Durante alguns minutos ele bateu num ritmo fortíssimo, me deixando extenuado. Tive que deitar no sofá, até passar. Eu estava tonto, suava muito, quase desmaiei.

Nessa mesma tarde fui ao cardiologista. Ele me fez um exame minucioso, inclusive um eletrocardiograma de esforço, e, no final, disse que eu precisava diminuir de peso e mudar de vida. Achei graça. Então, ele recomendou que eu parasse de trabalhar por algum tempo, mas eu disse que isso, também, era impossível. Afinal, me prescreveu um regime alimentar e mandou que eu caminhasse pelo menos duas vezes por dia.

No dia seguinte, na hora do almoço, quando fui dar a caminhada receitada pelo médico, o mesmo sujeito da véspera me fez parar pedindo dinheiro. Dei a ele algum dinheiro e prossegui.

O médico havia dito, com franqueza, que se eu não tomasse cuidado poderia a qualquer momento ter um enfarte. Tomei dois tranquilizantes naquele dia, mas isso não foi suficiente para me deixar totalmente livre da tensão. À noite não levei trabalho para casa. Mas o tempo não passava. Tentei ler um livro, mas a minha atenção estava em outra parte, no escritório. Liguei a televisão mas não consegui aguentar mais de dez minutos. Voltei da minha caminhada, depois do jantar, e fiquei impaciente sentado numa poltrona, lendo os jornais, irritado.

Na hora do almoço o mesmo sujeito emparelhou comigo, pedindo dinheiro. "Mas todo dia?", perguntei. "Doutor", ele respondeu, "minha mãe está morrendo, precisando de remédio, não conheço ninguém bom no mundo, só o senhor". Dei a ele cem cruzeiros.

Durante alguns dias o sujeito sumiu. Um dia, na hora do almoço, eu estava caminhando quando ele apareceu subitamente ao meu lado. "Doutor, minha mãe morreu." Sem parar, e apressando o passo, respondi, "sinto muito". Ele alargou as suas passadas, mantendo-se ao meu lado, e disse "morreu". Tentei me desvencilhar dele e comecei a andar rapidamente, quase correndo. Mas ele correu atrás de mim, dizendo "morreu, morreu, morreu", estendendo os dois braços contraídos numa expectativa de esforço, como se fossem colocar o caixão da mãe sobre as palmas de suas mãos. Afinal, parei ofegante e perguntei, "quanto é?". Por cinco mil cruzeiros ele enterrava a mãe. Não sei por quê, tirei um talão de cheques do bolso e fiz ali, em pé na rua, um cheque naquela quantia. Minhas mãos tremiam. "Agora chega!", eu disse.

No dia seguinte eu não saí para dar a minha volta. Almocei no escritório. Foi um dia terrível, em que tudo dava errado: papéis não foram encontrados nos arquivos; uma importante concorrência foi perdida por diferença mínima; um erro no planejamento financeiro exigiu que novos e complexos cálculos orçamentários tivessem que ser elaborados em regime de urgência. À noite, mesmo com os tranquilizantes, mal consegui dormir.

De manhã fui para o escritório e, de certa forma, as coisas melhoraram um pouco. Ao meio-dia saí para dar a minha volta.

Vi que o sujeito que me pedia dinheiro estava em pé, meio escondido na esquina, me espreitando, esperando eu passar. Dei a volta e caminhei em sentido contrário. Pouco depois ouvi o barulho de saltos de sapatos batendo na calçada como se alguém estivesse correndo atrás de mim. Apressei o passo, sentindo um aperto no coração, era como se eu estivesse sendo perseguido por alguém, um sentimento infantil de medo contra o qual tentei lutar, mas neste instante ele chegou ao meu lado, dizendo, "doutor, doutor". Sem parar, eu perguntei, "agora o quê?". Mantendo-se ao meu lado, ele disse, "doutor, o senhor tem que me ajudar, não tenho ninguém no mundo". Respondi com toda autoridade que pude colocar na voz, "arranje um emprego". Ele disse, "eu não sei fazer nada, o senhor tem que me ajudar". Corríamos pela rua. Eu tinha a impressão de que as pessoas nos observavam com estranheza. "Não tenho que ajudá-lo coisa alguma", respondi. "Tem sim, senão o senhor não sabe o que pode acontecer", e ele me segurou pelo braço e me olhou, e pela primeira vez vi bem como era o seu rosto, cínico e vingativo. Meu coração batia, de nervoso e de cansaço. "É a última vez", eu disse, parando e dando dinheiro para ele, não sei quanto.

Mas não foi a última vez. Todos os dias ele surgia, repentinamente, súplice e ameaçador, caminhando ao meu lado, arruinando a minha saúde, dizendo é a última vez doutor, mas nunca era. Minha pressão subiu ainda mais, meu coração explodia só de pensar nele. Eu não queria mais ver aquele sujeito, que culpa eu tinha de ele ser pobre?

Resolvi parar de trabalhar uns tempos. Falei com os meus colegas de diretoria, que concordaram com a minha ausência por dois meses.

A primeira semana foi difícil. Não é simples parar de repente de trabalhar. Eu me sentia perdido, sem saber o que fazer. Mas aos poucos fui me acostumando. Meu apetite aumentou. Passei a dormir melhor e a fumar menos. Via televisão, lia, dormia depois do almoço e andava o dobro do que andava antes, sentindo-me ótimo. Eu estava me tornando um homem tranquilo e pensando seriamente em mudar de vida, parar de trabalhar tanto.

Um dia saí para o meu passeio habitual quando ele, o pedinte, surgiu inesperadamente. Inferno, como foi que ele descobriu o meu endereço? "Doutor, não me abandone!" Sua voz era de mágoa e ressentimento. "Só tenho o senhor no mundo, não faça isso de novo comigo, estou precisando de um dinheiro, esta é a última vez, eu juro!" — e ele encostou o seu corpo bem junto ao meu, enquanto caminhávamos, e eu podia sentir o seu hálito azedo e podre de faminto. Ele era mais alto do que eu, forte e ameaçador.

Fui na direção da minha casa, ele me acompanhando, o rosto fixo virado para o meu, me vigiando curioso, desconfiado, implacável, até que chegamos na minha casa. Eu disse, "espere aqui".

Fechei a porta, fui ao meu quarto. Voltei, abri a porta e ele ao me ver disse "não faça isso, doutor, só tenho o senhor no mundo". Não acabou de falar, ou se falou eu não ouvi, com o barulho do tiro. Ele caiu no chão, então vi que era um menino franzino, de espinhas no rosto, e de uma palidez tão grande que nem mesmo o sangue, que foi cobrindo a sua face, conseguia esconder.

Feliz ano novo, **1975**

O Cobrador

Na porta da rua uma dentadura grande, embaixo escrito Dr. Carvalho, Dentista. Na sala de espera vazia uma placa, *Espere o Doutor, ele está atendendo um cliente*. Esperei meia hora, o dente doendo, a porta abriu e surgiu uma mulher acompanhada de um sujeito grande, uns quarenta anos, de jaleco branco.

Entrei no gabinete, sentei na cadeira, o dentista botou um guardanapo de papel no meu pescoço. Abri a boca e disse que o meu dente de trás estava doendo muito. Ele olhou com um espelhinho e perguntou como é que eu tinha deixado os meus dentes ficarem naquele estado.

Só rindo. Esses caras são engraçados.

Vou ter que arrancar, ele disse, o senhor já tem poucos dentes e se não fizer um tratamento rápido vai perder todos os outros, inclusive estes aqui — e deu uma pancada estridente nos meus dentes da frente.

Uma injeção de anestesia na gengiva. Mostrou o dente na ponta do boticão: A raiz está podre, vê?, disse com pouco caso. São quatrocentos cruzeiros.

Só rindo. Não tem não, meu chapa, eu disse.

Não tem não o quê?

Não tem quatrocentos cruzeiros. Fui andando em direção à porta.

Ele bloqueou a porta com o corpo. É melhor pagar, disse. Era um homem grande, mãos grandes e pulso forte de tanto arrancar os dentes dos fodidos. E meu físico franzino encoraja as pessoas. Odeio dentistas, comerciantes, advogados, industriais, funcionários, médicos, executivos, essa canalha inteira. Todos eles estão me devendo muito. Abri o blusão, tirei o 38, e perguntei com tanta raiva que uma gota de meu cuspe bateu na cara dele — que tal enfiar isso no teu cu? Ele ficou branco, recuou. Apontando o revólver para o peito dele comecei a aliviar o meu coração: tirei as gavetas dos armários, joguei tudo no chão, chutei os vidrinhos todos como se fossem bolas, eles pipocavam e explodiam na parede. Arrebentar os cuspidores e motores foi mais difícil, cheguei a machucar as mãos e os pés. O dentista me olhava, várias vezes deve ter pensado em pular em cima de mim, eu queria muito que ele fizesse isso para dar um tiro naquela barriga grande cheia de merda.

Eu não pago mais nada, cansei de pagar!, gritei para ele, agora eu só cobro!

Dei um tiro no joelho dele. Devia ter matado aquele filho da puta.

A rua cheia de gente. Digo, dentro da minha cabeça, e às vezes para fora, está todo mundo me devendo! Estão me devendo comida, buceta, cobertor, sapato, casa, automóvel, relógio, dentes, estão me devendo. Um cego pede esmolas sacudindo uma cuia de alumínio com moedas. Dou um pontapé na cuia dele, o barulhinho das moedas me irrita. Rua Marechal Floriano, casa de armas, farmácia, banco, china, retratista, Light, vacina, médico, Ducal, gente aos montes. De manhã não se consegue andar na direção da Central, a multidão vem rolando como uma enorme lagarta ocupando toda a calçada.

Me irritam esses sujeitos de Mercedes. A buzina do carro também me aporrinha. Ontem de noite eu fui ver o cara que tinha uma Magnum com silenciador para vender na Cruzada, e quando atravessava a rua um sujeito que tinha ido jogar tênis num daqueles clubes bacanas que tem por ali tocou a buzina. Eu vinha distraído pois estava pensando na Magnum, quando a buzina tocou. Vi que o carro vinha devagar e fiquei parado na frente.

Como é?, ele gritou.

Era de noite e não tinha ninguém perto. Ele estava vestido de branco. Saquei o 38 e atirei no para-brisa, mais para estrunchar o vidro do que para pegar o sujeito. Ele arrancou com o carro, para me pegar ou fugir, ou as duas coisas. Pulei pro lado, o carro passou, os pneus sibilando no asfalto. Parou logo adiante. Fui até lá. O sujeito estava deitado com a cabeça para trás, a cara e o peito cobertos por milhares de pequeninos estilhaços de vidro. Sangrava muito de um ferimento feio no pescoço e a roupa branca dele já estava toda vermelha.

Girou a cabeça que estava encostada no banco, olhos muito arregalados, pretos, e o branco em volta era azulado leitoso, como uma jabuticaba por dentro. E porque o branco dos olhos dele era azulado eu disse — você vai morrer, ô cara, quer que eu te dê o tiro de misericórdia?

Não, não, ele disse com esforço, por favor.

Vi da janela de um edifício um sujeito me observando. Se escondeu quando olhei. Devia ter ligado para a polícia.

Saí andando calmamente, voltei para a Cruzada. Tinha sido muito bom estraçalhar o para-brisa do Mercedes. Devia ter dado um tiro na capota e um tiro em cada porta, o lanterneiro ia ter que rebolar.

O cara da Magnum já tinha voltado. Cadê as trinta milhas? Põe aqui nesta mãozinha que nunca viu palmatória, ele disse. A mão dele era branca, lisinha, mas a minha estava cheia de cicatrizes, meu corpo todo tem cicatrizes, até meu pau está cheio de cicatrizes.

Também quero comprar um rádio, eu disse pro muambeiro.

Enquanto ele ia buscar o rádio eu examinei melhor a Magnum. Azeitadinha, e também carregada. Com o silenciador parecia um canhão.

O muambeiro voltou carregando um rádio de pilha. É japonês, ele disse.

Liga para eu ouvir o som.

Ele ligou.

Mais alto, eu pedi.

Ele aumentou o volume.

Puf. Acho que ele morreu logo no primeiro tiro. Dei mais dois tiros só para ouvir puf, puf.

Tão me devendo colégio, namorada, aparelho de som, respeito, sanduíche de mortadela no botequim da rua Vieira Fazenda, sorvete, bola de futebol.

Fico na frente da televisão para aumentar o meu ódio. Quando minha cólera está diminuindo e eu perco a vontade de cobrar o que me devem eu sento na frente da televisão e em pouco tempo meu ódio volta. Quero muito pegar um camarada que faz anúncio de uísque. Ele está vestidinho, bonitinho, todo sanforizado, abraçado com uma loura reluzente, e joga pedrinhas de gelo num copo e sorri com todos os dentes, os dentes dele são certinhos e são verdadeiros, e eu quero pegar ele com a navalha e cortar os dois lados da bochecha até as orelhas, e aqueles dentes branquinhos vão todos ficar de fora num sorriso de caveira vermelha. Agora está ali, sorrindo, e logo beija a loura na boca. Não perde por esperar.

Meu arsenal está quase completo: tenho a Magnum com silenciador, um Colt Cobra 38, duas navalhas, uma carabina 12, um Taurus 38 capenga, um punhal e um facão. Com o facão vou cortar a cabeça de alguém num golpe só. Vi no cinema, num desses países asiáticos, ainda no tempo dos ingleses, um ritual que consistia em cortar a cabeça de um animal, creio que um búfalo, num golpe único. Os oficiais ingleses presidiam a cerimônia com um ar de enfado, mas os decapitadores eram verdadeiros artistas. Um golpe seco e a cabeça do animal rolava, o sangue esguichando.

Na casa de uma mulher que me apanhou na rua. Coroa, diz que estuda no colégio noturno. Já passei por isso, meu colégio foi o mais noturno de todos os colégios noturnos do mundo, tão ruim que já não existe mais, foi demolido. Até a rua onde ele ficava foi demolida. Ela pergunta o que eu faço e digo que sou poeta, o que é rigorosamente verdade. Ela me pede que recite um poema meu. Eis: Os ricos gostam de dormir tarde/ apenas porque sabem que a corja/ tem que dormir cedo para trabalhar de manhã/ Essa é mais uma chance que eles/ têm de ser diferentes:/ parasitar,/ desprezar os que suam para ganhar a comida,/ dormir até tarde,/ tarde/ um dia/ ainda bem,/ demais./

Ela corta perguntando se gosto de cinema. E o poema? Ela não entende. Continuo: Sabia sambar e cair na paixão/ e rolar pelo chão/ apenas por pouco tempo./ Do suor do seu rosto nada fora construído./ Queria morrer com ela,/ mas isso foi outro dia,/ ainda outro dia./ No cinema Íris, na rua da Carioca/ o Fantasma da Ópera/ Um sujeito de preto,/ pasta preta, o rosto escondido,/ na mão um lenço branco imaculado,/ tocava punheta nos espectadores;/ na mesma época, em Copacabana,/ um outro/ que nem apelido tinha,/ bebia o mijo dos mictórios dos cinemas/ e o rosto dele era verde e inesquecível./ A História é feita de gente morta/ e o futuro de gente que vai morrer./ Você pensa que ela vai sofrer?/ Ela é forte, resistirá./ Resistiria também, se fosse fraca./ Agora você, não sei./ Você fingiu tanto tempo, deu socos e gritos, embusteou/ Você está cansado,/ você acabou,/ não sei o que te mantém vivo./

Ela não entendia de poesia. Estava solo comigo e queria fingir indiferença, dava bocejos exasperados. A farsanteza das mulheres.

Tenho medo de você, ela acabou confessando.

Essa fodida não me deve nada, pensei, mora com sacrifício num quarto e sala, os olhos dela já estão empapuçados de beber porcarias e ler a vida das grã-finas na revista *Vogue*.

Quer que te mate?, perguntei enquanto bebíamos uísque ordinário.

Quero que você me foda, ela riu ansiosa, na dúvida.

Acabar com ela? Eu nunca havia esganado ninguém com as próprias mãos. Não tem muito estilo, nem drama, esganar-se alguém, parece briga de rua. Mesmo assim eu tinha vontade de esganar alguém, mas não uma infeliz daquelas. Para um zé-ninguém, só tiro na nuca?

Tenho pensado nisso, ultimamente. Ela tinha tirado a roupa: peitos murchos e chatos, os bicos passas gigantes que alguém tinha pisado; coxas flácidas com nódulos de celulite, gelatina estragada com pedaços de fruta podre.

Estou toda arrepiada, ela disse.

Deitei sobre ela. Me agarrou pelo pescoço, sua boca e língua na minha boca, uma vagina viscosa, quente e olorosa.

Fodemos.

Ela agora está dormindo.

Sou justo.

Leio os jornais. A morte do muambeiro da Cruzada nem foi noticiada. O bacana do Mercedes com roupa de tenista morreu no Miguel Couto e os jornais dizem que foi assaltado pelo bandido Boca Larga. Só rindo.

Faço um poema denominado Infância ou Novos Cheiros de Buceta com U: Eis-me de novo/ ouvindo os Beatles/ na Rádio Mundial/ às nove horas da noite/ num quarto/ que poderia ser/ e era/ de um santo mortificado/ Não havia pecado/ e não sei por que me lepravam/ por ser inocente/ ou burro/ De qualquer forma/ o chão estava sempre ali/ para fazer mergulhos./ Quando não se tem dinheiro/ é bom ter músculos/ e ódio./

Leio os jornais para saber o que eles estão comendo, bebendo e fazendo. Quero viver muito para ter tempo de matar todos eles.

Da rua vejo a festa na Vieira Souto, as mulheres de vestido longo, os homens de roupas negras. Ando lentamente, de um lado para o outro na calçada, não quero despertar suspeitas e o facão por dentro da calça, amarrado na perna, não me deixa andar direito. Pareço um aleijado, me sinto um aleijado. Um casal de meia-idade passa por mim e me olha com pena; eu também sinto pena de mim, manco e sinto dor na perna.

Da calçada vejo os garçons servindo champanha francesa. Essa gente gosta de champanha francesa, vestidos franceses, língua francesa.

Estava ali desde as nove horas, quando passara em frente, todo municiado, entregue à sorte e ao azar, e a festa surgira.

As vagas em frente ao apartamento foram logo ocupadas e os carros dos visitantes passaram a estacionar nas escuras ruas laterais. Um deles me interessou muito, um carro vermelho e nele um homem e uma mulher, jovens e elegantes. Caminharam para o edifício sem trocar uma palavra, ele ajeitando a gravata-borboleta e ela, o vestido e o cabelo. Prepararam-se para uma entrada triunfal mas da calçada vejo que a chegada deles foi, como a dos outros, recebida com desinteresse. As pessoas se enfeitam no cabeleireiro, no costureiro, no massagista e só o espelho lhes dá, nas festas, a atenção que esperam. Vi a mulher no seu vestido azul esvoaçante e murmurei — vou te dar a atenção que você merece, não foi à toa que você vestiu a sua melhor calcinha e foi tantas vezes à costureira e passou tantos cremes na pele e botou perfume tão caro.

Foram os últimos a sair. Não andavam com a mesma firmeza e discutiam irritados, vozes pastosas, enroladas.

Cheguei perto deles na hora em que o homem abria a porta do carro. Eu vinha mancando e ele apenas me deu um olhar de avaliação rápido e viu um aleijado inofensivo de baixo preço.

Encostei o revólver nas costas dele.

Faça o que mando senão mato os dois, eu disse.

Para entrar de perna dura no estreito banquinho de trás não foi fácil. Fiquei meio deitado, o revólver apontado para a cabeça dele. Mandei que seguisse para a Barra da Tijuca. Tirava o facão de dentro da perna quando ele disse, leva o dinheiro e o carro e deixa a gente aqui. Estávamos na frente do Hotel Nacional. Só rindo. Ele já estava sóbrio e queria tomar um último uisquinho enquanto dava queixa à polícia pelo telefone. Ah, certas pessoas pensam que a vida é uma festa. Seguimos pelo Recreio dos Bandeirantes até chegar a uma praia deserta. Saltamos. Deixei acesos os faróis.

Nós não lhe fizemos nada, ele disse.

Não fizeram? Só rindo. Senti o ódio inundando os meus ouvidos, minhas mãos, minha boca, meu corpo todo, um gosto de vinagre e lágrima.

Ela está grávida, ele disse apontando a mulher, vai ser o nosso primeiro filho.

Olhei a barriga da mulher esguia e decidi ser misericordioso e disse, puf, em cima de onde achava que era o umbigo dela, desencarnei logo o feto. A mulher caiu emborcada. Encostei o revólver na têmpora dela e fiz ali um buraco de mina.

O homem assistiu a tudo sem dizer uma palavra, a carteira de dinheiro na mão estendida. Peguei a carteira da mão dele e joguei pro ar e quando ela veio caindo dei-lhe um bico, de canhota, jogando a carteira longe.

Amarrei as mãos dele atrás das costas com uma corda que eu levava. Depois amarrei os pés.

Ajoelha, eu disse.

Ele ajoelhou.

Os faróis do carro iluminavam o seu corpo. Ajoelhei-me ao seu lado, tirei a gravata-borboleta, dobrei o colarinho, deixando seu pescoço à mostra.

Curva a cabeça, mandei.

Ele curvou. Levantei alto o facão, seguro nas duas mãos, vi as estrelas no céu, a noite imensa, o firmamento infinito e desci o facão, estrela de aço, com toda minha força, bem no meio do pescoço dele.

A cabeça não caiu e ele tentou levantar-se, se debatendo como se fosse uma galinha tonta nas mãos de uma cozinheira incompetente. Dei-lhe outro golpe e mais outro e outro e a cabeça não rolava. Ele tinha desmaiado ou morrido com a porra da cabeça presa no pescoço. Botei o corpo sobre o para-lama do carro. O pescoço ficou numa boa posição. Concentrei-me como um atleta que vai dar um salto mortal. Dessa vez, enquanto o facão fazia seu curto percurso mutilante zunindo fendendo o ar, eu sabia que ia conseguir o que queria. Brock! a cabeça saiu rolando pela areia. Ergui alto o alfange e recitei: Salve o Cobrador! Dei um grito alto que não era nenhuma palavra, era um uivo comprido e forte, para que todos os bichos tremessem e saíssem da frente. Onde eu passo o asfalto derrete.

Uma caixa preta debaixo do braço. Falo com a língua presa que sou o bombeiro que vai fazer o serviço no apartamento duscenthos e um. O porteiro acha graça na minha língua presa e me manda subir. Começo do último andar. Sou o bombeiro (língua normal agora), vim fazer o serviço. Pela abertura, dois olhos: ninguém chamou bombeiro não. Desço para o sétimo, a mesma coisa. Só vou ter sorte no primeiro andar.

A empregada me abriu a porta e gritou lá para dentro, é o bombeiro. Surgiu uma moça de camisola, um vidro de esmalte de unhas na mão, bonita, uns vinte e cinco anos.

Deve haver um engano, ela disse, nós não precisamos de bombeiro.

Tirei o Cobra de dentro da caixa. Precisa sim, é bom ficarem quietas senão mato as duas. Tem mais alguém em casa? O marido estava trabalhando e o menino no colégio. Amarrei a empregada, fechei sua boca com esparadrapo. Levei a dona pro quarto.

Tira a roupa.

Não vou tirar a roupa, ela disse, a cabeça erguida.

Estão me devendo xarope, meia, cinema, filé mignon e buceta, anda logo. Dei-lhe um murro na cabeça. Ela caiu na cama, uma marca vermelha na cara. Não tiro. Arranquei a camisola, a calcinha. Ela estava sem sutiã. Abri-lhe as pernas. Coloquei os meus joelhos sobre as suas coxas. Ela tinha uma pentelheira basta e negra. Ficou quieta, com olhos fechados.

Entrar naquela floresta escura não foi fácil, a buceta era apertada e seca. Curvei-me, abri a vagina e cuspi lá dentro, grossas cusparadas. Mesmo assim não foi fácil, sentia o meu pau esfolando. Deu um gemido quando enfiei o cacete com toda força até o fim. Enquanto enfiava e tirava o pau eu lambia os peitos dela, a orelha, o pescoço, passava o dedo de leve no seu cu, alisava sua bunda. Meu pau começou a ficar lubrificado pelos sucos da sua vagina, agora morna e viscosa.

Como já não tinha medo de mim, ou porque tinha medo de mim, gozou primeiro do que eu. Com o resto da porra que saía do meu pau fiz um círculo em volta do umbigo dela.

Vê se não abre mais a porta pro bombeiro, eu disse, antes de ir embora.

Saio do sobrado da rua Visconde de Maranguape. Uma panela em cada molar cheio de cera do Dr. Lustosa/ mastigar com os dentes da frente/ punheta pra foto de revista/ livros roubados./ Vou para a praia./

Duas mulheres estão conversando na areia; uma tem o corpo queimado de sol, um lenço na cabeça; a outra é clara, deve ir pouco à praia; as duas têm o corpo muito bonito; a bunda da clara é a bunda mais bonita entre todas que já vi. Sento perto, e fico olhando. Elas percebem meu interesse e começam logo a se mexer, dizer coisas com o corpo, fazer movimentos aliciantes com os rabos. Na praia somos todos iguais, nós os fodidos e eles. Até que somos melhores pois não temos aquela barriga grande e a bunda mole dos parasitas. Eu quero aquela mulher branca! Ela inclusive está interessada em mim, me lança olhares. Elas riem, riem, dentantes. Se despedem e a branca vai andando na direção de Ipanema, a água molhando os seus pés. Me aproximo e vou andando junto, sem saber o que dizer.

Sou uma pessoa tímida, tenho levado tanta porrada na vida, e o cabelo dela é fino e tratado, o seu tórax é esbelto, os seios pequenos, as coxas são sólidas e redondas e musculosas e a bunda é feita de dois hemisférios rijos. Corpo de bailarina.

Você estuda balé?

Estudei, ela diz. Sorri para mim. Como é que alguém pode ter boca tão bonita? Tenho vontade de lamber dente por dente da sua boca. Você mora por aqui?, ela pergunta. Moro, minto. Ela me mostra um prédio na praia, todo de mármore.

De volta à rua Visconde de Maranguape. Faço hora para ir na casa da moça branca. Chama-se Ana. Gosto de Ana, palindrômico. Afio o facão com uma pedra especial, o pescoço daquele janota era muito duro. Os jornais abriram muito espaço para a morte do casal que eu justicei na Barra. A moça era filha de um desses putos que enriquecem em Sergipe ou Piauí, roubando os paus de arara, e depois vêm para o Rio, e os filhos de cabeça chata já não têm mais sotaque, pintam o cabelo de louro e dizem que são descendentes de holandeses.

Os colunistas sociais estavam consternados. Os granfas que eu despachei estavam com viagem marcada para Paris. Não há mais segurança nas ruas, dizia a manchete de um jornal. Só rindo. Joguei uma cueca pro alto e tentei cortá-la com o facão, como o Saladino fazia (com um lenço de seda) no cinema.

Não se fazem mais cimitarras como antigamente/ Eu sou uma hecatombe/ Não foi nem Deus nem o Diabo/ Que me fez um vingador/ Fui eu mesmo/ Eu sou o Homem-Pênis/ Eu sou o Cobrador./

Vou no quarto onde dona Clotilde está deitada há três anos. Dona Clotilde é dona do sobrado.

Quer que eu passe o escovão na sala?, pergunto.

Não meu filho, só queria que você me desse a injeção de trinevral antes de sair.

Fervo a seringa, preparo a injeção. A bunda de dona Clotilde é seca como uma folha velha e amassada de papel de arroz.

Você caiu do céu, meu filho, foi Deus que te mandou, ela diz.

Dona Clotilde não tem nada, podia levantar e ir comprar coisas no supermercado. A doença dela está na cabeça. E depois de três anos deitada, só se levanta para fazer pipi e cocô, ela não deve mesmo ter forças.

Qualquer dia dou-lhe um tiro na nuca.

Quando satisfaço meu ódio sou possuído por uma sensação de vitória, de euforia que me dá vontade de dançar — dou pequenos uivos, grunhidos, sons inarticulados, mais próximos da música do que da poesia, e meus pés deslizam pelo chão, meu corpo se move num ritmo feito de gingas e saltos, como um selvagem, ou um macaco.

Quem quiser mandar em mim pode querer, mas vai morrer. Estou querendo muito matar um figurão desses que mostram na televisão a sua cara paternal de velhaco bem-sucedido, uma pessoa de sangue engrossado por caviares e champãs. Come caviar/ teu dia vai chegar./ Estão me devendo uma garota de vinte anos, cheia de dentes e perfume. A moça do prédio de mármore? Entro e ela está me esperando, sentada na sala, quieta, imóvel, o cabelo muito preto, o rosto branco, parece uma fotografia.

Vamos sair, eu digo para ela. Ela me pergunta se estou de carro. Digo que não tenho carro. Ela tem. Descemos pelo elevador de serviço e saímos na garagem, entramos num Puma conversível.

Depois de algum tempo pergunto se posso dirigir e trocamos de lugar. Petrópolis está bem?, pergunto. Subimos a serra sem dizer uma palavra, ela me olhando. Quando chegamos a Petrópolis ela pede que eu pare num restaurante. Digo que não tenho dinheiro nem fome, mas ela tem as duas coisas, come vorazmente como se a qualquer momento fossem levar o prato embora. Na mesa ao lado um grupo de jovens bebendo e falando alto, jovens executivos subindo na sexta-feira e bebendo antes de encontrar a madame toda enfeitada para jogar biriba ou falar da vida alheia enquanto traçam queijos e vinhos. Odeio executivos. Ela acaba de comer. E agora? Agora vamos voltar, eu digo, e descemos a serra, eu dirigindo como um raio, ela me olhando. Minha vida não tem sentido, já pensei em me matar, ela diz. Paro na rua Visconde de Maranguape. É aqui que você mora? Saio sem dizer nada. Ela sai atrás: vou te ver de novo? Entro e enquanto vou subindo as escadas ouço o barulho do carro partindo.

Top Executive Club. Você merece o melhor relax, feito de carinho e compreensão. Nossas massagistas são completas. Elegância e discrição.

Anoto o endereço e vou para o local, uma casa, em Ipanema. Espero ele surgir, fantasiado de roupa cinza, colete, pasta preta, sapatos engraxados, cabelos rinsados. Tiro um papel do bolso, como alguém à procura de um endereço e vou seguindo o cara até o carro. Esses putos sempre fecham o carro a chave, eles sabem que o mundo está cheio de ladrões, eles também são, apenas ninguém os pega; enquanto ele abre o carro eu encosto o revólver na sua barriga. Dois homens de frente um para o outro, conversando, não despertam atenção. Encostar o revólver nas costas assusta mais, mas isso só deve ser feito em locais desertos.

Fica quieto senão chumbo a sua barriga executiva.

Ele tem o ar petulante e ao mesmo tempo ordinário do ambicioso ascendente egresso do interior, deslumbrado de coluna social, comprista, eleitor da Arena, católico, cursilhista, patriota, mordomista e bocalivrista, os filhos estudando na PUC, a mulher transando decoração de interiores e sócia de butique.

Como é executivo, a massagista te tocou punheta ou chupou teu pau?

Você é homem, sabe como é, entende essas coisas, ele disse. Papo de executivo com chofer de táxi ou ascensorista. De Botucatu para a Diretoria, acha que já enfrentou todas as situações de crise.

Não sou homem porra nenhuma, digo suavemente, sou o Cobrador.

Sou o Cobrador!, grito.

Ele começa a ficar da cor da roupa. Pensa que sou maluco e maluco ele ainda não enfrentou no seu maldito escritório refrigerado.

Vamos para sua casa, eu digo.

Eu não moro aqui no Rio, moro em São Paulo, ele diz. Perdeu a coragem, mas não a espertez. E o carro?, pergunto. Carro, que carro? Este carro, com a chapa do Rio? Tenho mulher e três filhos, ele desconversa. Que é isso? Uma desculpa, senha, habeas corpus, salvo-conduto? Mando parar o carro. Puf, puf, puf, um tiro para cada filho, no peito. O da mulher na cabeça, puf.

Para esquecer a moça que mora no edifício de mármore vou jogar futebol no aterro. Três horas seguidas, minhas pernas todas escalavradas das porradas que levei, o dedão do pé direito inchado, talvez quebrado. Sento suado ao lado do campo, junto de um crioulo lendo *O Dia*. A manchete me interessa, peço o jornal emprestado, o cara diz se tu quer ler o jornal por que não compra? Não me chateio, o crioulo tem poucos dentes, dois ou três, tortos e escuros. Digo, tá, não vamos brigar por isso. Compro dois cachorros-quentes e duas cocas e dou metade pra ele e ele me dá o jornal. A manchete diz: Polícia à procura do louco da Magnum. Devolvo o jornal pro crioulo. Ele não aceita, ri para mim enquanto mastiga com os dentes da frente, ou melhor, com as gengivas da frente que de tanto uso estão afiadas como navalhas. Notícia do jornal: Um grupo de grã-finos da zona sul em grandes preparativos para o tradicional Baile de Natal — Primeiro Grito de Carnaval. O baile começa no dia 24 e termina no dia 1º do Ano-Novo; vêm fazendeiros da Argentina, herdeiros da Alemanha, artistas americanos, executivos japoneses, o parasitismo internacional. O Natal virou mesmo uma festa. Bebida, folia, orgia, vadiagem.

O Primeiro Grito de Carnaval. Só rindo. Esses caras são engraçados.

Um maluco pulou da ponte Rio–Niterói e boiou doze horas até que uma lancha do Salvamar o encontrou. Não pegou nem resfriado.

Um incêndio num asilo matou quarenta velhos, as famílias celebraram.

Acabo de dar a injeção de trinevral em dona Clotilde quando tocam a campainha. Nunca tocam a campainha do sobrado. Eu faço as compras, arrumo a casa. Dona Clotilde não tem parentes. Olho da sacada. É Ana Palindrômica.

Conversamos na rua. Você está fugindo de mim?, ela pergunta. Mais ou menos, digo. Vou com ela pro sobrado. Dona Clotilde, estou com uma moça aqui, posso levar pro quarto? Meu filho, a casa é sua, faça o que quiser, só quero ver a moça. Ficamos em pé ao lado da cama. Dona Clotilde olha para Ana um tempo enorme. Seus olhos se enchem de lágrimas. Eu rezava todas as noites, ela soluça, todas as noites para você encontrar uma moça como essa. Ela ergue os braços magros cobertos de finas pelancas para o alto, junta as mãos e diz, oh meu Deus, como vos agradeço!

Estamos no meu quarto, em pé, sobrancelha com sobrancelha, como no poema, e tiro a roupa dela e ela a minha e o corpo dela é tão lindo que sinto um aperto na garganta, lágrimas no meu rosto, olhos ardendo, minhas mãos tremem e agora estamos deitados, um no outro, entrançados, gemendo, e mais, e mais, sem parar, ela grita, a boca aberta, os dentes brancos como de um elefante jovem, ai, ai, adoro a tua obsessão!, ela grita, água e sal e porra jorram de nossos corpos, sem parar.

Agora, muito tempo depois, deitados olhando um para o outro hipnotizados até que anoitece e nossos rostos brilham no escuro e o perfume do corpo dela traspassa as paredes do quarto.

Ana acordou primeiro do que eu e a luz está acesa. Você só tem livros de poesia? E estas armas todas, pra quê? Ela pega a Magnum no armário, carne branca e aço negro, aponta pra mim. Sento na cama.

Quer atirar? pode atirar, a velha não vai ouvir. Mais para cima um pouco. Com a ponta do dedo suspendo o cano até a altura da minha testa. Aqui não dói.

Você já matou alguém? Ana aponta a arma para minha testa.

Já.
Foi bom?
Foi.
Como?
Um alívio.
Como nós dois na cama?
Não, não, outra coisa. O outro lado disso.
Eu não tenho medo de você, Ana diz.
Nem eu de você. Eu te amo.
Conversamos até amanhecer. Sinto uma espécie de febre. Faço café pra dona Clotilde e levo pra ela na cama. Vou sair com Ana, digo. Deus ouviu minhas preces, diz a velha entre goles.

Hoje é dia 24 de dezembro, dia do Baile de Natal ou Primeiro Grito de Carnaval. Ana Palindrômica saiu de casa e está morando comigo. Meu ódio agora é diferente. Tenho uma missão. Sempre tive uma missão e não sabia. Agora sei. Ana me ajudou a ver. Sei que se todo fodido fizesse como eu o mundo seria melhor e mais justo. Ana me ensinou a usar explosivos e acho que já estou preparado para essa mudança de escala. Matar um por um é coisa mística e disso eu me libertei. No Baile de Natal mataremos convencionalmente os que pudermos. Será o meu último gesto romântico inconsequente. Escolhemos para iniciar a nova fase os compristas nojentos de um supermercado da zona sul. Serão mortos por uma bomba de alto poder explosivo. Adeus, meu facão, adeus meu punhal, meu rifle, meu Colt Cobra, adeus minha Magnum, hoje será o último dia em que vocês serão usados. Beijo o meu facão. Explodirei as pessoas, adquirirei prestígio, não serei apenas o louco da Magnum. Também não sairei mais pelo parque do Flamengo olhando as árvores, os troncos, a raiz, as folhas, a sombra, escolhendo a árvore que eu queria ter, que eu sempre quis ter, num pedaço de chão de terra batida. Eu as vi crescer no parque e me alegrava quando chovia e a terra se empapava de água, as folhas lavadas de chuva, o vento balançando os galhos, enquanto os carros dos canalhas passavam velozmente sem que eles olhassem para os lados. Já não perco meu tempo com sonhos.

O mundo inteiro saberá quem é você, quem somos nós, diz Ana.

Notícia: O governador vai se fantasiar de Papai Noel. Notícia: Menos festejos e mais meditação, vamos purificar o coração. Notícia: Não faltará cerveja. Não faltarão perus. Notícia: Os festejos natalinos causarão este ano mais vítimas de trânsito e de agressões do que nos anos anteriores. Polícia e hospitais preparam-se para as comemorações de Natal. O cardeal na televisão: a festa de Natal está deturpada, o seu sentido não é este, essa história de Papai Noel é uma invenção infeliz. O cardeal afirma que Papai Noel é um palhaço fictício.

Véspera de Natal é um bom dia para essa gente pagar o que deve, diz Ana. O Papai Noel do baile eu mesmo quero matar com o facão, digo.

Leio para Ana o que escrevi, nosso manifesto de Natal, para os jornais. Nada de sair matando a esmo, sem objetivo definido. Eu não sabia o que queria, não buscava um resultado prático, meu ódio estava sendo desperdiçado. Eu estava certo nos meus impulsos, meu erro era não saber quem era o inimigo e por que era inimigo. Agora eu sei, Ana me ensinou. E o meu exemplo deve ser seguido por outros, muitos outros, só assim mudaremos o mundo. É a síntese do nosso manifesto.

Ponho as armas numa mala. Ana atira tão bem quanto eu, só não sabe manejar o facão, mas essa arma agora é obsoleta.

Damos até logo à dona Clotilde. Botamos a mala no carro. Vamos ao Baile de Natal. Não faltará cerveja, nem perus. Nem sangue. Fecha-se um ciclo da minha vida e abre-se outro.

O Cobrador, 1979

Mandrake

Eu jogava com as brancas e empregava o bispo em fianqueto. Berta preparava um forte centro de peões.

Aqui é do escritório do dr. Paulo Mendes, disse a minha voz no telefone-gravador, dando a quem ligava trinta segundos para deixar sua mensagem. O sujeito disse se chamar Cavalcante Méier, como se entre os dois nomes existisse um hífen, e que estavam tentando envolvê-lo num crime, mas — tlec — o tempo dele acabou antes de dizer o que pretendia.

Sempre que a gente está num jogo duro um cliente telefona, disse Berta. Tomávamos vinho Faísca.

O sujeito ligou novamente, pedindo que eu ligasse para a casa dele. Um telefone da zona sul. Atendeu uma voz velha, cheia de calos (de reverência) nas cordas vocais. Era o mordomo. Foi chamar o doutor.

Tem mordomo na história, já sei quem é o assassino. Mas Berta não achou graça. Além de viciada em xadrez ela levava tudo a sério.

Reconheci a voz do gravador: o que quero lhe relatar tem que ser pessoalmente, posso passar no seu escritório?

Eu estou em casa, expliquei, dando o meu endereço.

Mixou o jogo, bebê (Berta Bronstein), eu disse, discando o telefone.

Alô, dr. Medeiros, como é que vai a situação?

Medeiros disse que a situação não era grave, mas também não era tranquila. Medeiros só pensava em política, tinha sido coisa e loisa no início da revolução e apesar do seu escritório ser o maior da cidade ele não se libertava da nostalgia do poder. Perguntei se ele conhecia um tal de Cavalcante Méier.

Todo mundo conhece.

Eu não. Até pensei que o nome fosse falso.

Medeiros contou que o homem era fazendeiro em São Paulo e no Norte, exportador de café, açúcar e soja, suplente de senador por Alagoas, um homem rico.

O que mais? Tem rabo de palha, andou metido em comborças financeiras, é tarado sexual, além de latifundiário?

Para você o mundo só tem canalhas, não é? O senador é um homem público da maior honorabilidade, um líder empresarial, um cidadão exemplar, inatacável.

Lembrei a ele que o banqueiro J. J. Santos também era inatacável e eu tivera de livrá-lo das garras de um travesti maníaco num motel da Barra.

Você ganhou dele um Mercedes, é assim que agradece?

Eu não tinha ganho o carro, tinha extorquido, como os banqueiros fazem, juros e taxa de administração.

Medeiros com voz melíflua: qual o problema com o Cavalcante Méier?

Eu disse que não sabia.

Vamos acabar a partida, disse Berta.

Não posso receber o sujeito nu, posso?, eu disse.

Estava me vestindo quando a campainha tocou, três vezes em dez segundos. Um homem impaciente, acostumado a que lhe abrissem as portas com presteza.

Cavalcante Méier era elegante, magro, cinquenta anos. O nariz era ligeiramente torto. Os olhos eram fundos, castanho-esverdeados, intensos.

Eu sou Rodolfo Cavalcante Méier. Não sei se o senhor me conhece.

Conheço. Tenho sua ficha.

Minha ficha?

Sim. Vi que ele olhava para o copo na minha mão. Quer um pouco de vinho Faísca?

Não obrigado, disse ele, evasivo, vinho me dá dor de cabeça. Posso sentar?

Fazendeiro, exportador, suplente de senador por Alagoas, serviços prestados à revolução, eu disse.

Irrelevantes, ele cortou, seco.

Membro do Rotary Clube, eu disse de molecagem.

Country Clube apenas.

Um líder, um homem de bem, um patriota.

Ele me olhou e disse firme, não brinque comigo.

Não estou brincando. Também sou patriota. De maneira diferente. Por exemplo: não quero declarar guerra à Argentina.

Também tenho sua ficha, ele me imitou. Cínico, inescrupuloso, competente. Especialista em casos de extorsão e estelionato. Ele falava como se fosse uma gravação, lembrava-me uma caixa de gargalhadas em que se dá corda e sai um som que não é humano, nem animal. Cavalcante Méier tinha dado corda nele mesmo, a corda que fazia a voz de fazendeiro falando com meeiro. Competente sim, inescrupuloso e cínico não. Apenas um homem que perdeu a inocência, eu disse.

Mais corda na caixa. Você leu os jornais?

Respondi que nunca lia jornais e ele me contou que uma jovem havia aparecido morta na Barra, dentro do próprio carro. Saíra a notícia em todos os jornais.

Essa moça era, ehn, minha, anh, ligada a mim, entendeu?

Sua amante?

Cavalcante Méier engoliu em seco.

Já havíamos terminado. Eu achava que Marly devia encontrar um jovem como ela, casar-se, ter filhos.

Ficamos calados. O telefone tocou, alô Mandrake. Tirei o som.

Sim, e depois?

Nossa relação era muito discreta, eu diria, secreta mesmo. Ninguém sabia de nada. Ela apareceu morta na sexta-feira. No sábado recebi um telefonema, um homem, me ameaçando, dizendo que eu a havia matado e que tinha provas de que éramos amantes. Cartas. Não sei que cartas podem ser essas.

Cavalcante Méier disse que não procurara a polícia porque tinha muitos inimigos políticos que se aproveitariam do escândalo. Além disso, nada sabia que pudesse esclarecer o crime. E que sua filha única ia casar-se naquele mês.

Minha ida à polícia seria um gesto ética e socialmente inútil. Gostaria que você procurasse essa pessoa para mim, visse o que ele quer, defendesse os meus interesses da melhor maneira. Estou disposto a pagar para evitar o escândalo.

Como é o nome do sujeito?

Márcio, foi o nome que ele me deu. Quer que eu vá me encontrar com ele num lugar chamado Gordon's, em Ipanema, hoje à noite, às dez horas. Ele estará de motocicleta, de blusão negro, e nas costas do blusão está escrito Jesus.

Combinamos que eu iria me encontrar com Márcio e negociar o preço do seu silêncio. Podia valer muito ou não valer nada.

Perguntei quem lhe indicara o meu nome.

O dr. Medeiros, ele disse, levantando-se. Saiu sem me estender a mão, apenas um aceno com a cabeça.

Fui procurar a caixa de gargalhadas. Remexi o armário de roupas, a estante, muitas gavetas até encontrá-la na cozinha. Dona Balbina adora ouvir as gargalhadas.

Levei a caixa para o quarto, deitei e liguei. Uma gargalhada convulsiva e inquietante, engasgada no goto, roxa, de alguém a quem tivessem enfiado um funil pelo ânus e as gargalhadas atravessassem o corpo e saíssem mortíferas pela boca, congestionando os pulmões e o cérebro. Aquilo exigia um pouco mais de vinho Faísca. Quando eu era menino, um homem, na minha frente, no cinema, teve um ataque de riso tão forte que morreu. De vez em quando me lembro daquele sujeito.

Pra que você está ouvindo esse barulho horrível? Você parece maluco, disse Berta. Vamos continuar o jogo?

Agora vou ler os jornais, eu disse.

Merda, disse Berta, jogando o tabuleiro e as peças no chão. Uma mulher impulsiva.

Na mesinha de cabeceira estavam todos os jornais. Jovem secretária morta dentro do próprio carro na Barra. Um tiro na cabeça. A vítima estava com joias e documentos. A polícia não acreditava em roubo. A morta ia de casa para o trabalho e voltava cedo. Saía muito pouco à noite. Não tinha namorado. Os vizinhos diziam que era amável e tímida. Os pais informavam que ela ao chegar do trabalho ia para o quarto ler. Ela lia muito, disse a mãe, gostava de poesia e romances, era meiga e obediente, sem ela a nossa vida ficará vazia, sem sentido. Havia nos jornais várias fotos de Marly, alta e magra, de cabelos compridos. Seu olhar parecia triste. Ou era apenas impressão minha? Sou um romântico incurável.

Afinal fui jogar com Berta. Abri com as pretas, peão do Rei. Berta repetiu minha jogada. Em seguida movi meus cavalos. Berta me repetindo, criando posições simétricas que levariam à vitória o mais paciente, o que cometesse menos falhas, ou seja, Berta. Sou muito nervoso, jogo xadrez para me irritar, explodir in camera, lá fora é perigoso, tenho que manter a calma.

Tentei me recordar da partida de Capablanca com Tarrash, São Petersburgo 1914, onde tinha ocorrido uma abertura dos quatro cavalos e uma cilada terrível fora armada, mas que cilada era essa? Não conseguia me lembrar, na cabeça o motoqueiro do Gordon's.

Não adianta me olhar com essa cara vitoriosa, eu disse, vou ter que sair agora.

Agora? No meio da partida? Outra vez? Você é um covarde, sabe que vai perder e foge.

É verdade. Mas além disso tenho que ver um cliente.

Berta, os braços levantados, começou a prender os cabelos. O sovaco de uma mulher é uma obra-prima, principalmente se ela é magra e musculosa como Berta. O sovaco dela também cheira muito bem, quando não tem desodorante, é claro. Um cheiro agridoce e que me deixa muito excitado. Ela sabe disso.

Vou encontrar um motoqueiro no Gordon's.

Ah, um motoqueiro?

Tem um Hitchcock às onze na TV.

Não gosto de televisão, detesto filmes dublados, disse Berta de mau humor.

Então fica estudando a abertura Nimzovitch, ela permite boas ciladas posicionais. Daqui a pouco eu volto.

Berta disse que não me esperaria, que eu não tinha consideração por ela, nem respeito.

Quando parei na porta do Gordon's, ainda dentro do carro, vi o motoqueiro. Era um rapaz baixo, forte, de cabelos castanho-escuros. Ele discutia, de maneira insolente, com uma moça. Ela tinha cabelos tão negros que pareciam pintados, seu rosto era muito pálido, diferente do das meninas bronzeadas que frequentavam o Gordon's. Talvez a sua palidez fizesse os cabelos mais negros e estes por sua vez tornassem o rosto mais pálido, que por seu turno — enquanto eu me divertia com essa proposição, me lembrando do quaker da lata de aveia que eu tomava quando era criança — um quaker com uma lata de aveia na mão onde tinha outro quaker com uma lata de aveia na mão etc, ad infinitum — a moça sentou na garupa da moto e eles partiram velozmente pela rua Visconde de Pirajá. Eu não podia segui-los, meu carro ficara bloqueado. Saltei, fui ao balcão do Gordon's, pedi uma coca e um sanduíche. Comi lentamente. Esperei uma hora. Eles não voltaram.

Berta estava na cama, dormindo, a televisão acesa.

Liguei para o Cavalcante Méier.

O apóstolo não apareceu, eu disse. Não adiantava contar o que havia acontecido.

O que o senhor vai fazer? Ele falava baixo, com a boca encostada no fone. Meus clientes sempre falam assim. Me irritam.

Nada. Vou para a cama. Amanhã conversamos. Desliguei.

Beijei de leve os lábios de Berta. Ela acordou.

Diz que me ama, disse Berta.

Levantei de manhã já com vontade de tomar vinho Faísca. Berta não gostava que eu bebesse tão cedo, mas vinho português não faz mal a nenhuma hora do dia ou da noite. Liguei o gravador e havia um recado do Cavalcante Méier.

Disquei.

O senhor leu os jornais?, Cavalcante Méier perguntou.

Acabei de acordar, menti. Que horas são?

Meio-dia. Leu os jornais? Não, é claro que ainda não leu. A polícia diz que tem um suspeito.

Eles sempre têm um suspeito, que costuma ser inocente.

Sendo inocente posso ser o suspeito, conforme a sua lógica. Outra coisa, o tal Márcio telefonou. Disse que vem à minha casa hoje à tarde.

Estarei aí. O senhor me apresenta como seu secretário particular.

Desde que horas você está tomando vinho?, Berta perguntou, entrando na sala.

Expliquei a ela que Churchill acordava e tomava champanha, fumava charutos e ganhava a guerra.

Li os jornais, fumando um panatela escuro da Suerdieck. O espaço dedicado à morte de Marly era grande, mas não havia novidade. Não se falava em suspeito.

Telefonei para o Raul.

Esse crime da moça da Barra. Qual é a dica?

Que moça? A que foi estrangulada, a que foi atropelada, a que levou um tiro na cabeça, a que —

Tiro na cabeça.

Marly Moreira, secretária da Cordovil & Méier. Quem está com o caso é gente minha.

Dizem que há um suspeito. Você sabe alguma coisa?

Pode deixar que eu apuro.

Cavalcante Méier morava na Gávea Pequena. Parei o carro no portão e toquei a campainha. Um guarda particular saiu de uma guarita. Usava um revólver na cintura e tinha cara de quem não sabia usar a arma. Abriu o portão.

É o dr. Paulo Mendes?, ele perguntou.

Sim.

Pode entrar.

Você devia pedir a minha identidade.

Ele mexeu desconcertado no quepe e pediu minha identidade. Esses falsos profissionais estão hoje em todos os lugares.

Subi por uma alameda ladeada de quaresmeiras, através de um gramado bem-cuidado. Grama inglesa, certamente. O mordomo abriu a porta. Ele era mesmo velho como eu havia previsto e tinha no rosto o rancor e nas costas a corcunda do lamber sapatos, tantos anos. A voz reverente perguntou meu nome, pediu-me que esperasse.

Fiquei andando de um lado para o outro no hall de mármore. Havia uma larga escadaria que levava ao andar superior. Uma jovem desceu as escadas acompanhada de um cão dálmata. Tinha cabelos louros, vestia jeans e uma blusa de malha justa. Eu não podia despregar os olhos dela. Ao chegar perto de mim perguntou, impessoal:

Está esperando alguém? Olhos azuis.

O dr. Cavalcante Méier.

O papai já sabe que o senhor está aqui? O olhar dela me atravessava como se eu fosse de vidro.

O mordomo foi avisá-lo.

Sem outra palavra me virou as costas, abriu a porta e saiu, acompanhada do cachorro.

Um dia, quando era adolescente, ia andando pela rua quando vi uma mulher bonita e me apaixonei de maneira súbita e avassaladora. Ela passou por mim e continuamos andando em direções opostas, eu de rosto virado, vendo-a distanciar-se agile e noble, avec sa jambe de statue, até que ela desapareceu no meio da multidão. Então, num impulso desconsolado, virei-me para a frente, para além daquela passante e bati com a cabeça num poste.

Fiquei olhando a porta por onde a moça saíra, passando a mão na cicatriz da testa que o tempo não apagara.

Favor me acompanhar, disse o mordomo.

Atravessamos uma sala enorme que tinha no centro uma mesa grande redonda, cercada de cadeiras de veludo. E outra, com poltronas e grandes quadros nas paredes.

Cavalcante Méier me esperava, no escritório forrado de livros.

Quem é a moça do cachorro, perguntei, uma loura bonita?

É minha filha Eva. Vai casar-se no dia 23, já lhe disse.

Cavalcante Méier estava, como da primeira vez, trajado com roupas elegantes. Seu cabelo bem-penteado, um risco ao lado, nem um fio sequer fora do lugar. Parecia o Rodolfo Valentino em *A Dama das Camélias,* com Alia Nazimova.

Perguntei se ele havia visto o filme. Não, não era nem nascido quando o filme foi exibido. Eu também não, mas frequentava as cinematecas.

Cordovil & Méier tem alguma coisa a ver com o senhor?

É a minha empresa de exportação.

Então a moça morta era sua empregada?

Era secretária do meu gerente de marketing internacional.

Uma sombra passou pelo rosto de Cavalcante Méier. Poucos artistas sabiam fazer uma sombra passar pelo próprio rosto. Everett Sloane sabia, Bogart não sabia. Caretas são outra coisa.

O telefone tocou. Cavalcante Méier atendeu.

Pode deixar, ele disse.

Ouvi o barulho de uma motocicleta. O som parou por algum tempo e depois voltou a ser ouvido. Cavalcante Méier pareceu não dar importância ao ruído, dava instruções ao mordomo para trazer imediatamente à sua presença a pessoa que chegara.

Márcio, o motoqueiro, entrou na sala, no rosto a mesma arrogância que ostentara no Gordon's. Olhando melhor, parecia uma máscara malcolocada.

Você disse que estaríamos sozinhos, quem é este sujeito?

Meu secretário.

A conversa é só entre nós dois, manda ele embora.

Ele fica, disse Cavalcante Méier, controlando sua ira.

Então quem vai sou eu, disse Márcio.

Esperem, calma, não vamos criar problemas, posso esperar lá fora, eu disse.

Saí rapidamente para o salão. Da janela vi Eva sentada no gramado, o dálmata a seu lado. O sol filtrado pelos galhos das árvores dourava ainda mais os seus cabelos.

A porta do escritório se abriu e Márcio passou rapidamente por mim, sem me olhar. Ouvi o barulho da motocicleta. A moça, nesse instante, levantou-se depressa.

Está tudo resolvido, disse Cavalcante Méier, da porta do escritório.

Como assim?, perguntei sem sair da janela. Eva correu pelo gramado, seguida pelo cão, e desapareceu do meu campo visual.

Cheguei a um entendimento com esse indivíduo. Não preciso mais dos seus serviços. Quanto lhe devo?

Quem foi mesmo que disse que a linguagem existe para esconder o pensamento?, perguntei saindo da janela.

Não sei e não me interessa. Quanto lhe devo?

Nada.

Virei-lhe as costas. O mordomo estava no hall. Parecia ter andado por trás das portas ouvindo todas as conversas.

Peguei meu carro. Não havia sinal de Eva. O guarda abriu o portão para mim. Perguntei a ele se o motociclista havia parado no meio do caminho antes de entrar na casa.

Parou perto do lago, para falar com dona Eva.

O guarda olhou alguma coisa por cima da capota do carro. Olhei também e vi uma moça pálida, de cabelos escuros, parada a uns vinte metros. Era a garota que eu tinha visto na garupa do motoqueiro, no Gordon's. Ao notar que eu a observava afastou-se, caminhando lentamente.

Quem é aquela moça?, perguntei.

É sobrinha do doutor, o guarda disse. O nome era Lili e ela morava na casa do tio.

O telefone da guarita tocou. O guarda foi atender. Ao voltar foi abrir o portão. Aproximei o carro.

Esse cara da motocicleta já esteve aqui antes?

Não sei de nada, disse o guarda virando o rosto. Devia ter recebido instruções de evitar conversas comigo.

Cheguei em casa, abri a geladeira, tirei uma garrafa de vinho Faísca. Na mesa um bilhete: você podia ter usado a cilada de Würtzberg. Bastava oferecer a Dama, mas isso você nunca faz. Te amo. Berta.

Liguei para o meu sócio, Wexler.

Hoje não vou ao escritório.

Já sei, Wexler disse. Vai jogar xadrez com uma mulher e tomar vinho. Fico dando duro enquanto você come as mulheres.

Estou com um caso mandado pelo dr. Medeiros. Contei tudo para ele.

Isso não vai dar em nada, disse Wexler.

Liguei para o Raul. Ele marcara um jantar no Albamar com o delegado que estava no caso da Marly.

Na cidade?, chiei.

A Homicídios é na cidade. O nome dele é Guedes.

Guedes era um homem jovem, precocemente calvo, magro, de olhos castanhos tão claros que pareciam amarelos. Pediu uma coca-cola para beber. Raul tomava uísque. Não tinha Faísca e pedi um Casa da Calçada. Prefiro os maduros, mas às vezes um verde geladinho cai bem.

Marly tinha um Rolex de ouro no pulso, uma aliança de brilhantes e seis mil cruzeiros na bolsa, disse Guedes.

Isso facilita, disse Raul.

Facilita, mas estamos no escuro, disse Guedes.

Os jornais dizem que vocês têm um suspeito.

Isso é para despistar.

Já surgiu nesse enredo o nome do chefe dela na Cordovil & Méier, o gerente de marketing?, perguntei.

Artur Rocha. Os amarelos olhos suspicazes de Guedes examinaram meu rosto.

Li o nome dele no jornal, eu disse.

O nome não saiu no jornal. Os olhos de Guedes ardiam em cima de mim. Eu não ia sacanear aquele cara, ele parecia um tira decente.

Fiz um pequeno serviço para o presidente da firma, o senador Cavalcante Méier.

Eu mesmo tomei o depoimento do Artur Rocha. Ele afirmou que nada sabia sobre a vida da secretária, disse Guedes.

Você acha que ele disse a verdade?

Já viramos a vida dele pelo avesso. A moça foi morta na sexta-feira, entre oito e nove horas da noite. Às onze horas Rocha estava em Petrópolis, na casa de amigos. Ele não se interessa por mulheres, parece que gosta mesmo é de ostentar sua riqueza. Mandou fazer um picadeiro na casa dele, em Petrópolis, e dizem que mal sabe montar. Entendeu a jogada? Os grã-finos menores têm quadra de tênis e piscina. Ele tem tudo isso e ainda um picadeiro e cavalos para emprestar aos amigos.

Se um gerente ganha para isso, imagine o presidente, disse Raul.

Ele não deve ser assalariado, deve ser sócio. Salário temos nós, quer dizer, eu e o Raul, o senhor não.

Epa!, não me chama de senhor, me chama de Mandrake, eu disse.

Dizem que o senhor é um advogado rico.

Antes fosse.

O Mandrake é um gênio, disse Raul, que já havia bebido metade da garrafa de uísque. É um tremendo filho da puta. Ele comeu a minha mulher. Hem, Mandrake, se lembra?

Sofro até hoje por isso, eu disse.

Já te perdoei, disse Raul. E àquela filha da puta também.

A mulher dele dava para todo mundo. Eles não eram mais casados. Enfim.

O crime se configura, em princípio, como um crime passional, disse o Guedes, pouco interessado na minha conversa com Raul. Artur Rocha não tem capacidade de se apaixonar ou matar por paixão, ou dinheiro, ou outra coisa qualquer. Mas tenho a impressão de que ele está mentindo. O que acha você?

Quando investigo um crime até minha mãe é suspeita, disse Raul.

Guedes continuava me olhando, esperando uma resposta.

As pessoas matam quando sentem medo, tergiversei, quando odeiam, quando invejam.

Direto do almanaque Capivarol, disse Raul.

Sei que ele está mentindo, disse Guedes.

Sozinho no carro eu disse, mais tarde, para o espelho retrovisor, está todo mundo mentindo.

No dia seguinte os jornais já não davam destaque à morte de Marly. Tudo cansa, meu anjo, como dizia o poeta inglês. Os mortos têm que ser renovados, a imprensa é uma necrófila insaciável. Uma notícia nas colunas sociais chamou minha atenção: o casamento de Eva Cavalcante Méier com Luís Vieira Souto não mais se realizaria naquela semana. Alguns colunistas lamentavam que o enlace tivesse sido cancelado. Um deles exclamava: o que será feito com a imensidão de presentes que o ex-futuro casal já recebeu de todos os cantos do Brasil? Um problema realmente sério.

    Peguei o carro e fui para a estrada da Gávea. Parei a cem metros do portão da casa. Enfiei no toca-fitas do carro um cassete do Jorge Ben e fiquei batucando com ele no painel do carro.

    Primeiro apareceu o Mercedes. Cavalcante Méier sentado no banco traseiro. O motorista vestido de azul-marinho, camisa branca, gravata preta, quepe preto na cabeça. Esperei mais meia hora e os portões se abriram, e um Fiat esporte saiu em disparada.

    Fui atrás. O carro fazia as curvas em alta velocidade, os pneus zunindo. Não era fácil segui-lo. É hoje que morro, pensei. Qual das minhas mulheres sofreria mais? Berta talvez deixasse de roer unhas.

    O Fiat parou no Leblon, na porta de um pequeno edifício. A moça saltou do carro, entrou por uma porta onde estava escrito Bernard — Ginástica Feminina. Esperei dois minutos.

    Sala de espera atapetada, paredes cheias de reproduções de bailarinas de Degas e posters de dança. De trás de uma mesa de aço e vidro uma recepcionista de cabelos oxigenados, toda maquiada, de uniforme cor-de-rosa, me deu bom-dia, perguntou se eu desejava alguma coisa.

    Queria inscrever minha esposa no curso de ginástica.

    Pois não, disse ela pegando uma ficha.

    Cocei a cabeça e expliquei que não queria a minha esposa frequentando qualquer curso, que podiam me chamar de antiquado, mas eu era assim mesmo.

A recepcionista sorriu com a boca inteira, como só sabem fazer os que têm todos os dentes e disse que aquele era o lugar certo, uma academia frequentada por senhoras e moças do soçaite. Ela falou soçaite de boca cheia. Suas unhas eram longas, pintadas de vermelho-forte.

Como é o nome de sua esposa?

Pérola... Hum, ahn, mas quem ensina é uma professora? Ou é um homem?

Um professor, mas que não me preocupasse, Bernard era muito respeitador.

Pedi para ver um pouquinho da aula.

Só um pouquinho, disse a loura, levantando-se. Ela era da minha altura, um corpo esguio, de seios pequenos, toda sólida.

Você também faz ginástica?

Eu não, este corpo foi Deus que me deu, mas podia ser obra de Bernard, ele faz verdadeiros milagres.

Saiu deslizando na minha frente, até uma porta com um espelho, que entreabriu.

As alunas acompanhavam o ritmo agitado da música transmitida em alto volume por caixas acústicas espalhadas pelo chão. Num golpe rápido elas inclinaram o tórax para a frente, a cabeça para baixo, empurraram as mãos entre os joelhos para trás, depois endireitaram o corpo, levantaram novamente os braços e começaram tudo de novo.

Eram umas quinze mulheres, vestidas de malhas de diversas cores predominando o azul, mas havia vermelho, rosa, verde. No meio da sala, com uma vara na mão, estava Bernard, também de malha. Devia ter sido bailarino e certamente orgulhava-se de suas nádegas firmes.

Não curve os joelhos, Pia Azambuja! Contraia as nádegas, Ana Maria Melo!

Vupt! uma varada na bunda de Ana Maria Melo.

Siga o ritmo, Eva Cavalcante Méier! Não pare, Renata Albuquerque Lins! Bernard dizia os nomes das alunas por inteiro, eram sobrenomes importantes, dos pais, dos maridos.

A recepcionista fechou a porta.

Já viu tudinho, não viu?

Ele sempre bate nas alunas?, perguntei.

É de leve, não machuca não. Elas não se incomodam. Até gostam. Bernard é maravilhoso. As alunas chegam cheias de celulite, flácidas, posturas erradas, pele ruim, e o Bernard as deixa com um corpo de miss.

Fizemos a ficha da minha mulher.

Pearl White?

Minha mulher é americana. Pearl quer dizer Pérola.

Não sei qual é a graça em fazer piadas que ninguém entende, mas vivo fazendo isso.

Fiquei andando de um lado para o outro defronte do Fiat, jogando com as brancas, controlando o centro 3R, 3D, 4BR, 4R, 4D, 4BD, 5BR, 5R, 5D, 5BD, 6R e 6D. Poder e raio de ação. Giuoco Piano. Siciliana. Nimzoíndia.

Eva surgiu com os cabelos molhados, calças compridas de brim, blusa de malha, braços nus. Carregava uma bolsa grande.

Alô. Postei-me na frente dela.

Eu o conheço?, ela perguntou friamente.

Da casa do seu pai. Ele me contratou para ser advogado dele.

Sim...?

Mas já me dispensou.

Sim...?, ela falava rispidamente, mas não ia embora.

Queria ouvir o que eu tinha a dizer. As mulheres são curiosas como os gatos. (Os homens também são como os gatos. Enfim.)

Alguém queria envolvê-lo na morte de Marly Moreira, a moça que apareceu na Barra com um tiro na cabeça.

Só isso?

Um chantagista chamado Márcio afirma que tem documentos que podem incriminar o seu pai.

O que mais?

A polícia suspeita dele. Tenho mais coisas a dizer, mas não aqui na rua.

Quando o garçom veio ela pediu uma água mineral. Deus, Bernard e Regime Feroz tinham feito aquela maravilha. Pedi vinho Faísca. Ficamos em silêncio.

Se meu pai corre perigo você devia falar com ele mesmo.

Não sei o que adianta falar comigo.

Seu pai dispensou os meus serviços.

Ele deve ter tido alguma razão.

Contei a ela as entrevistas que tivera com Cavalcante Méier, minha ida ao Gordon's, o encontro entre sua prima Lili e o motoqueiro Márcio. O rosto dela permaneceu impenetrável.

Você acha que meu pai matou essa moça? Sorriso de desprezo.

Não sei.

Meu pai tem muitos defeitos, é vaidoso e fraco, e outras coisas piores, mas não é um assassino. Basta olhar para ele, para se ter essa certeza.

Rememorei os rostos dos assassinos que conhecia. Nenhum deles tinha cara de culpado.

Alguém matou a moça e não foi um assaltante.

Nem meu pai.

Márcio, o motoqueiro, quando foi ver o seu pai, parou no jardim para conversar com você.

Você está enganado. Não sei quem é essa pessoa.

Olhei bem o rosto inocente dela. Eu sabia que ela sabia que eu sabia que ela mentia. Eva tinha uma cara botichelesca, pouco brasileira, naquele dia de sol, talvez por isso mais atraente para mim. Não gosto de mulheres queimadas de sol. É um artifício. A pele sabe a sua cor, e os cabelos, e os olhos. Usar o sol como cosmético é uma estupidez.

Você é muito bonita, eu disse.

Você é uma pessoa desagradável, feia e ridícula, ela disse.

Eva levantou-se e saiu, pisando como Bernard ensinava.

Cheguei em casa, desliguei o telefone-gravador. Berta havia ido para a casa dela. Passei toda a minha vida sem sonhar ou esquecendo a maioria dos sonhos. Mas de dois sonhos eu sempre lembrava, só e sempre esses dois. Num eu sonhava que estava dormindo e sonhava um sonho que eu esquecia quando acordava, com a sensação de que uma importante revelação se perdia com o meu esquecimento. No outro eu estava na cama com uma mulher e ela tocava no meu corpo e eu sentia a sensação dela ao tocar no meu corpo, como se meu corpo não fosse de carne e osso. Eu acordava (fora do sonho, na realidade) e passava a mão na minha pele e sentia como se ela fosse coberta de um metal frio.

Acordei com o barulho da campainha da porta. Wexler.

O que você andou arranjando? Sabe quem está atrás de você? O delegado Pacheco. Você agora anda metido com os comunas?

Wexler contou que cedo, pela manhã, o delegado Pacheco havia aparecido no escritório me procurando. Pacheco era famoso no país inteiro.

Ele quer que você vá à delegacia falar com ele.

Eu não queria ir mas Wexler me convenceu. Do Pacheco ninguém escapa, ele disse.

Wexler foi comigo. Pacheco não nos fez esperar muito tempo. Era um homem gordo, de rosto agradável, não aparentava a maldade que a sua fama difundia.

Suas atividades estão sendo investigadas, Pacheco disse, com ar sonolento.

Não sei o que estou fazendo aqui, sou corrupto, não sou subversivo. Era outra piada.

Você não é uma coisa nem outra, Pacheco disse com voz cansada, mas não seria difícil provar que é as duas coisas. Ele me olhou como um irmão mais velho olhando para o caçula traquinas.

Um amigo me procurou para dizer que você o anda molestando. Pare com isso.

Posso perguntar quem é o seu amigo? Molesto muita gente.

Você sabe quem é. Deixe-o em paz, palhaço.

Então já vamos, disse Wexler. O pai dele havia sido morto no pogrom do gueto de Varsóvia em 1943, na frente dele, um menino de oito anos. Ele lia a cara das pessoas.

Cuidado com aquele nazista, disse Wexler na rua. Afinal, em que embrulho você anda metido?

Contei o caso Cavalcante Méier para ele. Wexler cuspiu com força no chão — ele não dizia nome feio mas cuspia no chão quando ficava com raiva — e me agarrou com força no braço.

Você não tem mais nada com o caso. Sai dessa. Esses nazistas! Outra cusparada.

Liguei para Berta.

Bebê, você abre com a Ruy Lopes e eu ganho de você em quinze lances.

Mentira. As dificuldades das pretas nesta abertura são muito grandes quando os enxadristas se equivalem, como era o nosso caso. Eu apenas queria ter perto de mim alguém que me amava. Tua cara não está boa, disse Berta ao chegar.

Minha cara é uma colagem de várias caras, isso começou aos dezoito anos; até então o meu rosto tinha unidade e simetria, eu era um só. Depois tornei-me muitos.

Coloquei a garrafa de vinho Faísca ao lado do tabuleiro. Começamos a jogar. Ela abriu com a Ruy Lopes, como tínhamos combinado. No décimo quinto lance minha situação era difícil.

O que está acontecendo? Por que você não usou a defesa Steinitz pra deixar a coluna do Rei aberta para a Torre? Ou a defesa Tchigorin, desenvolvendo o flanco da Dama? Você não pode ficar inerte assim ante uma Ruy Lopes.

Olha Berta, Bertinha, Bertonga, Bertete, Bertíssima, Bertérrima, Bertinhazinha, Bertinhona, Bebê.

Você está bêbado, disse Berta.

Estou.

Não jogamos mais.

Eu quero abraçar você, deitar a cabeça no teu peito, sentir o calor entre as tuas pernas. Estou cansado, Bebê. Além do mais estou apaixonado por outra mulher.

Como? Dando uma de Le Bonheur pra cima de mim?

É um filme medíocre, eu disse.

Berta jogou todas as pedras do tabuleiro no chão. Mulher impulsiva.

Quem é essa mulher? Eu fiz um aborto seu, tenho o direito de saber.

A filha de um cliente.

Quantos anos? A minha idade? Ou você já está baixando? Dezesseis? Doze?

A tua idade.

Ela é mais bonita do que eu?

Não sei. Talvez não. Mas é uma mulher que me atrai.

Vocês homens são infantis, fracos, fanfarrões! Bobo, você é um bobo!

Eu te amo, Bebê, eu disse pensando em Eva.

Então fomos para a cama, eu pensando o tempo todo em Eva. Depois que fizemos amor Berta dormiu de barriga para cima. Roncava levemente, a boca aberta, inerte. Sempre que bebo muito durmo apenas meia hora, acordo com complexo de culpa. Ali estava Berta, de boca aberta como um morto sonhando. Que fraqueza é dormir! As crianças sabem. É por isso que durmo pouco, tenho medo de ficar desarmado. Berta roncava. Estranho, numa pessoa tão suave. O sol ia surgindo, uma luz fantástica entre o branco e o vermelho, aquilo merecia uma garrafa de vinho Faísca. Acabei de beber, tomei banho, me vesti, fui para o escritório. O vigia do prédio perguntou, deu formiga na cama, doutor?

Sentei e fiz as alegações finais de um cliente. Wexler chegou e começamos a discutir coisas sem importância, mas que nos deixaram exaltados.

Deve ser uma merda ser filho de imigrante português, disse Wexler.

E filho de judeu morto no pogrom?, perguntei.

Meu pai era professor de latim, minha mãe tocava Bach, Beethoven e Brahms no piano, teu pai pescava bacalhau, tua mãe era costureira!

Wexler foi na janela e cuspiu.

Bach, Beethoven, Brahms, Belsen e Buchenwald, os cinco bês, no piano, eu disse.

Ele fez uma cara de dor, um olhar que só os judeus são capazes de mostrar.

Desculpe, eu disse. A mãe dele tinha morrido em Buchenwald, uma mulher jovem, que no retrato era bonita e tinha um rosto doce e moreno. Desculpe.

O dia acabou e eu decidi não ir para casa. Não queria ver Berta, o telefone-gravador, nada, ninguém, só pensava em Eva. Minhas paixões duram pouco, mas são fulminantes. Um hotel ordinário na rua Corrêa Dutra, no Flamengo. Apanhei a chave, fui para o quarto, deitei olhando para o teto. Havia uma lâmpada, um globo sujo de luz, que eu acendia e apagava. O barulho da rua misturou-se com o silêncio, numa gosma opaca e neutra. Eva. Eva. Caim matou Abel. Alguém está sempre matando alguém. Passei a noite rolando na cama.

De manhã paguei o hotel e fui cortar o cabelo e fazer a barba.

A defesa Steinitz, eu disse ao barbeiro, não é assim tão eficiente, a Torre tem os seus movimentos limitados, é uma peça forte, porém previsível.

O senhor tem razão, disse o barbeiro, cautelosamente.

A defesa Tchigorin arrisca a Dama e eu nunca arrisco a Dama, continuei. Está tudo errado, o Hino Nacional com sua letra idiota, a bandeira positivista sem a cor vermelha, toda bandeira deve ter a cor vermelha, de que vale o verde das nossas matas e o amarelo do nosso ouro sem o sangue de nossas veias?

É tudo uma pouca vergonha, disse o barbeiro.

Enquanto o barbeiro falava do custo de vida eu lia o jornal. Márcio Amaral, também conhecido como Márcio da Suzuki, fora encontrado morto no seu apartamento no bairro de Fátima. Um tiro na cabeça. Na mão direita um revólver Taurus, calibre 38, com uma cápsula deflagrada no tambor. A polícia suspeitava de homicídio. Márcio da Suzuki estaria envolvido no tráfico de entorpecentes na zona sul da cidade.

Isso não me interessa mais, que todos se fodam, o senador canalha e sua filha dedetizada, a sobrinha pálida, a secretária morta e seus pais falantes, o motoqueiro, o Guedes, o raio que o parta, pra mim chega.

O barbeiro me olhou assustado.

No meu apartamento um bilhete:

Onde você se meteu? Está louco? Wexler quer falar com você, coisa urgente. Estou na loja. Liga pra mim. Te amo. Morro de saudades. Berta.

Eu ainda gostava de Berta, mas meu coração não disparava mais ao ouvir sua voz ou ler seus bilhetes. Berta se tornara uma pessoa perfeita para casar, quando eu fosse velho e doente.

Liguei para Berta, marquei um encontro para aquela noite. O que podia eu fazer? Disquei, Wexler.

Pensei que o Pacheco tinha posto a mão em você, disse Wexler. O Raul está te procurando, diz que é importante.

O telefone de Raul tocou, tocou, tocou e quando eu ia desligar ele atendeu.

Estava no banheiro. O Guedes queria muito falar contigo. Passa na Homicídios, ele disse.

Contei ao Raul as ameaças do Pacheco. Raul me mandou tomar cuidado.

Na Homicídios. Guedes me recebeu logo.

Eu jogo aberto com você, ele disse. Leia isso.

A letra era redonda, os pingos dos ii pequenos círculos: Rodolfo, não pense que você pode me tratar dessa maneira, como um objeto que se usa e joga fora. Estou disposta a fazer as maiores loucuras, falar com a sua mulher, fazer escândalo na firma, botar a boca no mundo, nos jornais, você não sabe do que eu sou capaz. Não quero mais apartamento nenhum, você não me compra, como faz com todo mundo. Você é o homem da minha vida, nunca conheci outro, nem quis, nem quero. Você tem me evitado, não é assim que acabam relações como a nossa. Eu quero te ver. Me telefona, sem demora. Ando muito doida, nervosa, sou capaz de tudo. Marly.

Então?, disse o Guedes.

Então o quê?

Você tem alguma ideia?

Que ideia posso ter?

Que achou da carta?

Já foi feita alguma perícia grafotécnica?

Não. Mas tenho certeza que a letra é de Marly Moreira. Sabe onde a carta foi encontrada? Com um tal Márcio Amaral, vulgo Márcio da Suzuki. Quem matou Márcio revirou o quarto, possivelmente atrás da carta, mas se esqueceu de procurá-la no bolso da vítima. A carta estava lá.

Coisa de amador, eu disse.

É amador mesmo. Tentou fingir que a morte era suicídio sem saber os truques. Márcio não tinha sinais de pólvora nos dedos, a trajetória do projétil é de cima para baixo, muitos erros, o assassino de pé e a vítima sentada. Acho que sei quem é o assassino. Um homem importante.

Cuidado, homens importantes compram todo mundo.

Nem todos se vendem, disse Guedes. Ele poderia dizer que era incorruptível, mas os que realmente não se vendem, como ele, não se gabam disso.

O senador Rodolfo Cavalcante Méier matou Marly, continuou Guedes. Márcio, não sabemos como, obteve a carta e começou a chantagear o senador. Para esconder o primeiro crime o senador cometeu outro, matando Márcio.

Ali estava na minha frente um homem decente fazendo o seu trabalho com dedicação e inteligência. Tive vontade de contar a ele tudo o que sabia, mas não consegui. Cavalcante

Méier nem sequer era meu cliente, era um burguês rico nojento e talvez um assassino torpe e mesmo assim eu não conseguia denunciá-lo. Meu negócio é tirar as pessoas das garras da polícia, não posso fazer o contrário.

Então?, perguntou Guedes.

O senador não precisaria matar pessoalmente, encontraria alguém para fazer o serviço para ele, eu disse.

Não estamos em Alagoas, disse Guedes.

Aqui também existem pistoleiros que matam por uma ninharia.

Mas nesses não se pode confiar. A polícia põe a mão neles, enche de porrada e eles contam tudo. Não são jagunços de fazenda, protegidos pelo feudo, disse Guedes. Além do mais você concordou que os dois crimes são coisa de amador.

Repeti que não sabia nada dos crimes, que minha opinião era superficial.

O Raul disse que você poderia ajudar, disse Guedes, decepcionado, quando me despedi dele.

Armei o tabuleiro de xadrez. Botei uma garrafa de Faísca no balde de gelo.

Não quero jogar xadrez nem beber vinho, disse Berta.

O que foi, meu bem?, perguntei, farto de saber.

Só continuo com você se você acabar com essa moça.

Nada tenho com ela, como posso acabar o que não existe?

Você gosta dela, isso existe. Quero que você deixe de gostar dela. Você uma vez me disse que só gosta de quem gosta de você, que só gosta de quem você quer. Quero que goste apenas de mim. Do contrário adeus, não tem mais jogo de xadrez, trepadas na hora que você bem entende, pileques de vinho. Eu odeio vinho, seu cretino, bebo por sua causa. Odeio, odeio, odeio.

E xadrez?

Xadrez eu gosto, disse Berta enxugando as lágrimas. Em vez de ser um protagonista da sua própria vida, Berta o era da minha.

Prometi que ia fazer força para esquecer Eva. Deixei que ela ganhasse de mim usando o contragambito Blemenfeld. Para falar a verdade ela ganharia de qualquer forma, pois o tempo todo eu pensava em quem poderia ter feito a carta de Marly Moreira chegar às mãos de Márcio da Suzuki. P4D, C3BR. Cavalcante Méier certamente guardaria a carta com cuidado. C3BR, P3R. Por que não a destruiu? Talvez não a tivesse recebido, interceptada por alguém. P4B, P4B. Nesse caso seria alguém da casa dele, se é que a carta foi para a casa dele; podia ter ido para o escritório. Meu palpite era a casa. O mordomo? Ri. P5D, P4CD. Está rindo, é?, disse Berta, daqui a pouco você vai ver. PXPR, PBXP, Berta riu por sua vez. Alguém da segurança, ou a esposa, que eu nunca tinha visto, ou a filha, ou a sobrinha. Como dizia Raul, há que desconfiar até da própria mãe. PXP, P4D. Mate!, disse Berta.

Bebê, nem Alekhine jogaria com tanto brilho, eu disse.

Você é que jogou mal, disse Berta.

Eu estava disposto a esquecer Eva, como havia prometido a Berta, mas ao chegar na casa de Cavalcante Méier, Eva abriu a porta e meu entusiasmo voltou de novo. Eu havia ido primeiro ao escritório e me disseram que o senador estava em casa, indisposto. Na mão eu carregava um jornal com notícias sobre a morte de Marly Moreira. O assunto ganhara novamente a primeira página dos jornais. A perícia estabelecera que Márcio da Suzuki fora morto pela mesma arma que assassinara Marly. O delegado Guedes numa entrevista dizia que havia um figurão envolvido e que a polícia estava prestes a detê-lo, custasse o que custasse. Falava-se também em tráfico de entorpecentes.

Quero falar com seu pai.

Ele não pode atender ninguém.

É do interesse dele. Diga-lhe que a polícia tem a carta. Só isso. Ela me olhou com o rosto impassível de boneca, a pele saudável parecia de louça, faces rosadas, lábios vermelhos, radiantes olhos azuis, um vicejar violento na flor da idade. Parecia um slide colorido projetado no ar.

Ele não pode atender ninguém, Eva repetiu.

Olha aqui, menina, seu pai está numa enrascada e eu quero ajudá-lo. Vai e diz a ele que a polícia tem a carta.

Cavalcante Méier me recebeu de robe de chambre curto de veludo vermelho. Seu cabelo estava cuidadosamente penteado e oleado, recentemente.

A polícia tem a carta, eu disse. Sabem que foi dirigida a um certo Rodolfo e acham que esse Rodolfo é o senhor. Felizmente o envelope não foi achado e eles não podem provar nada.

Eu rasguei o envelope, disse ele, não sei por que não rasguei a carta também. Guardei-a na gaveta da mesinha de cabeceira do meu quarto.

Um vício de banqueiro, guardar documentos, pensei.

Eu não matei Marly. Não tenho a menor ideia de quem o fez.

Não sei se acredito nisso. Acho que foi você.

Prove-o.

Parecia Jack Palance, Wilson o pistoleiro, calçando as luvas negras e dizendo prove-o, para Elisha Cook Jr., antes de sacar rapidamente o Colt e dar-lhe um estrondante tiro no peito e jogá-lo de cara na lama sulcada pelas rodas das carroças.

Existem muitos Rodolfos no mundo. Posso provar que nunca vi essa moça na vida. Sabe onde eu estava na hora do crime? Jantando com o governador do estado. Ele pode confirmar isso. Você é um homem mortificado pela inveja, não é? Você odeia os que venceram na vida, os que não acabam a vida como advogados de porta de xadrez, não é?

Não odeio ninguém. Apenas desprezo canalhas como você.

Então o que veio fazer aqui? Atrás de dinheiro.

Não, atrás da sua filha.

Cavalcante Méier levantou a mão para me bater. Segurei a mão dele no caminho. Seu braço não tinha força. Larguei a mão daquele porcaria, áulico explorador, sibarita, parasita.

Raul estava me procurando no escritório.

Guedes foi afastado do caso Marly Moreira por uma portaria do chefe de Polícia, de hoje. Deu entrevistas proibidas pelo regulamento. Acham que ele está querendo se promover. Foi transferido para a delegacia de Bangu. Não pode mais abrir o bico.

Guedes não queria se promover. Acreditava na culpa de Cavalcante Méier e queria botar o préstito na rua antes que abafassem tudo. Um crente, na imprensa e na opinião pública, um ingênuo, mas muitas vezes esse tipo de pessoa realiza coisas incríveis.

Como é que está a coisa?, perguntou Wexler.

Ah, Leon, estou apaixonado!

Você sempre está. A Berta é boa menina.

Já é outra. A filha do senador Cavalcante Méier.

Você quer comer todas as mulheres do mundo, Wexler disse recriminante.

É verdade.

Era verdade, eu tinha uma alma de sultão das mil e uma noites; quando era menino me apaixonava e passava as noites chorando de amor, pelo menos uma vez por mês. E adolescente comecei a dedicar minha vida a comer as mulheres. Como as filhas dos amigos, as mulheres dos amigos, as conhecidas e desconhecidas, como todo mundo, só não comi minha mãe.

Tem uma moça na sala de espera, querendo falar com você, disse dona Gertrudes, a secretária. Dona Gertrudes estava cada dia mais feia, começava a crescer uma corcunda nela, e bigodes, tive a impressão que me olhava vesgo, um olho para cada lado. Uma santa pessoa. Pensando bem, ela era assim mesmo?

Eva, na sala de espera. Ficamos lendo um o olhar do outro.

Você joga xadrez?, perguntei.

Não. Bridge.

Você me ensina?, perguntei.

Ensino.

Eu me controlava para não sair voando pela sala como um besouro doido.

Não foi meu pai, sei que não foi.

Eu te amo, eu disse. Aconteceu no primeiro dia em que te vi. Seu olho parecia um maçarico.

Eu também fiquei muito perturbada naquele dia.

Estávamos de mãos dadas quando Wexler entrou na sala.

Raul acabou de chegar. Eu disse que você estava ocupado. Você quer falar com ele?

Deve ser coisa ligada ao caso de Marly. Vou falar com ele. Você espera aqui, eu disse para Eva.

Estava na porta quando Eva disse: salva meu pai.

Voltei.

Para isso você tem que me ajudar.

Como?

Começa deixando de mentir para mim.

Não mentirei mais.

O que você conversou com Márcio da Suzuki em sua casa? De onde você o conhecia?

Márcio fornecia cocaína para minha prima Lili. Mas há seis meses, mais ou menos, ela deixara o vício. Naquele dia perguntei a Márcio se Lili voltara a cheirar e Márcio disse que não. Meu medo era de que ele tivesse ido levar tóxico para ela.

Onde Lili arranjava dinheiro para comprar o pó?

Papai dá a Lili tudo que ela pede. Ela é filha do irmão dele que morreu quando Lili era menina. A mãe dela não quis saber da filha, casou-se de novo e Lili veio morar com a gente quando tinha oito anos.

Por que você disse que sabe que o seu pai não matou Marly e o Márcio?

Meu pai não seria capaz de matar ninguém.

Então é apenas um pressentimento, uma simples presunção?

Sim, ela disse desviando os olhos dos meus.

Raul estava em pé, na sala de Wexler, andando dum lado pro outro.

Guedes diz que vai denunciar o senador como assassino e que não se incomoda com o que possa acontecer.

O Guedes está maluco, eu disse. Temos de evitar que ele faça essa besteira.

Eu e Raul saímos à procura de Guedes. Eva foi para casa, prometi que depois lhe telefonaria.

Guedes estava no Instituto Oswaldo Éboli, conversando com um perito amigo. Preparava a documentação para entregar aos jornais.

Não foi o Cavalcante Méier, eu disse.

Até dois dias atrás você nada sabia sobre o caso, agora vem me falar com essa certeza.

Contei a ele parte do que eu sabia.

Se não foi o Cavalcante Méier, então quem foi?

Não sei. Talvez traficantes de tóxicos.

Eu esmiucei a vida de Marly Moreira, não existe a menor chance dela estar envolvida com traficantes de tóxicos. E os dois foram mortos pela mesma pessoa. Seu raciocínio está totalmente furado.

Tentei defender o meu ponto de vista. Mencionei o álibi do Cavalcante Méier. Afinal o testemunho do governador não poderia ser ignorado.

São todos uns corruptos. Você vai ver, quando o governador deixar o cargo vai ser sócio do Cavalcante Méier num dos negócios dele.

Guedes, você vai quebrar a cara.

Não tem importância. O que posso perder? O meu emprego? Já cansei de ser polícia.

Acusar um inocente é calúnia, é crime.

Ele não é inocente. Eu tenho minhas provas. Os olhos de Guedes rutilavam de retidão, justiça, honradez e probidade. Você sabia que o senador Cavalcante Méier tem registrado na polícia um revólver Taurus 38, o calibre dos projéteis que causaram a morte de Marly e do Márcio?

Muita gente tem um 38 em casa. Quando é a entrevista?, perguntei.

Amanhã às dez horas.

Cheguei na casa da Gávea quando a noite caía.

O que foi, que cara é essa?, perguntou Eva.

Onde está seu pai?

No quarto. Ele não está se sentindo bem.

Preciso falar com ele, é importante.

Fiquei surpreso ao ver Cavalcante Méier. Seu cabelo estava em desalinho, a barba por fazer, os olhos vermelhos como se ele tivesse bebido muito ou chorado. O olhar de Jannings, professor Rath, no *Anjo Azul*, lutando para não sentir vergonha, surpreso com a incompreensão do mundo. Junto de Cavalcante Méier estava Lili, rosto mais pálido do que nunca, a pele parecia pintada de cal. Segurava uma bolsa na mão. Um vestido negro realçava seu belo ar fantasmagórico.

Fui eu sim, disse Cavalcante Méier.

Papai!, exclamou Eva.

Cavancante Méier soava falso. Vi muitos filmes e conheço os canastrões.

Fui eu, já disse que fui eu. Diga ao seu amigo polícia que pode me prender. Fora da minha casa!

Aproximou-se de mim como se fosse me agredir. Eva segurou-o.

Vai embora, por favor, vai embora, suplicou Eva.

Ao sair, Lili me acompanhou. Parou junto ao meu carro.

Posso ir com você?

Pode.

Lili sentou-se ao meu lado. Dirigi lentamente pelas alamedas escuras dos jardins da casa e descemos a estrada.

Ele está mentindo, eu disse. Deve ser para proteger alguém. Talvez Eva.

O corpo de Lili começou a tremer, mas não saía um som de sua garganta. Ao passar perto de um poste de luz vi que o seu rosto estava molhado de lágrimas.

Não foi ele, não. Nem Eva, disse Lili, tão baixo que eu mal distinguia as palavras.

Então era isso. Eu já sabia a verdade, e o que isso adiantava? Existem mesmo culpados e inocentes?

Estou ouvindo, pode começar, eu disse.

Descobri que eu amava o tio Rodolfo há dois anos, não mais como um tio, ou pai, que era o que ele tinha sido para mim até então, mas como se ama um amante.

Fiquei calado. Sei quando uma pessoa começa a abrir a alma até o fundo.

Somos amantes há seis meses. Ele é tudo na minha vida e eu na dele.

Foi por isso que você matou a Marly?

Sim.

Ele sabia?

Não. Só lhe contei hoje. Ele quis me proteger. Ele me ama, tanto quanto eu o amo.

Seu rosto na penumbra do carro parecia uma estátua fluorescente iluminada por uma luz negra.

Posso contar como foi.

Então conte.

Meu tio me disse que estava tendo problemas com uma moça que trabalhava numa das firmas dele e com quem tivera um caso. Ela ameaçava fazer escândalo, contar tudo para minha tia. Minha tia é uma mulher muito doente, gosto dela como se fosse minha mãe.

Eu nunca a tinha visto. As famílias ricas têm segredos invioláveis, rostos secretos, cumplicidades sombrias.

Ela não sai do quarto dela, tem sempre uma enfermeira à sua cabeceira, pode morrer a qualquer instante.

Continua.

Meu tio recebeu a carta, acho que foi numa segunda-feira. Toda noite, cerca das onze horas, eu ia para o quarto dele, e saía cedo, antes que os empregados começassem a arrumar a casa. Eva sabia disso?

Sabia.

Continua, eu disse.

Naquele dia tio Rodolfo estava muito nervoso. Me mostrou a carta, disse que Marly era uma louca, que o escândalo poderia matar a tia Nora, arruiná-lo politicamente. Tio

Rodolfo é um homem muito bom, não merece uma coisa dessas.

Continua, eu disse.

Tio Rodolfo me mostrou a carta dessa tal Marly e depois largou-a na mesinha de cabeceira. No dia seguinte apanhei a carta, localizei aquela mulher e telefonei para ela. Disse quem eu era e que tinha um recado do tio Rodolfo. Marcamos um encontro para depois do expediente. Escolhi um local ermo, onde às vezes tomo banho de mar. Ela chegou arrogante, disse que eu avisasse ao tio Rodolfo para não tratá-la com desprezo. Quando a velha morrer, ela ameaçou, aquele canalha vai ter de casar comigo. Eu levava na bolsa o revólver do tio Rodolfo. Dei apenas um tiro nela. Ela caiu para a frente, gemendo. Saí correndo, peguei meu carro, fui procurar o Márcio, pedir a ele que me vendesse um pouco de pó. Fiquei cheirando cocaína na casa dele, a primeira vez em mais de seis meses. Estava desesperada. Dormi e Márcio deve ter revistado a minha bolsa e retirado a carta enquanto eu dormia. Quando soube pelo tio Rodolfo que você ia se encontrar com Márcio no Gordon's, eu me antecipei para evitar que você o encontrasse. Inventei que tio Rodolfo tinha mandado a polícia prendê-lo.

Para de chamá-lo de tio, por favor.

Eu sempre o chamei assim, não vai ser agora que vou mudar. Márcio ficou furioso e no dia seguinte foi à casa do tio Rodolfo. Você viu tudo, esta parte você conhece.

Tudo não.

Encontrei Márcio no jardim, quando ele saía. Me disse que tio Rodolfo ia pagar, mas que ele não iria devolver a carta. Marquei um encontro para comprar cocaína, disposta a acabar com ele. Márcio estava sentado numa poltrona vendo televisão, já cheio de pó, mandrix e uísque. Me aproximei e atirei na sua cabeça, não senti nada, só nojo, como se ele fosse uma barata.

Você não achou a carta. Estava no bolso do Márcio.

Procurei em todos os lugares, no bolso eu nunca iria procurar, tocar nele me repugnaria, disse Lili.

E o dinheiro?

Estava numa mala. Levei para casa. Está todo no armário do meu quarto.

Parei o carro. Ela segurava a bolsa com força, as mãos trêmulas.

Me dá isso, eu disse.

Não!, ela respondeu, apertando a bolsa de encontro ao peito.

Arranquei a bolsa da sua mão. Dentro o Taurus, cano de duas polegadas, cabo de madrepérola. Os olhos dela eram um abismo sem fundo.

Deixa o revólver comigo, Lili pediu.

Balancei a cabeça negativamente.

Então me leva de volta para perto do tio Rodolfo.

Tenho que encontrar o Guedes. Pega um táxi. É bom contratar logo um advogado.

Está tudo perdido, não é?

Infelizmente. Para todos nós, respondi.

Coloquei-a num táxi. Saí à procura de Guedes. Pensei em Eva. Adeus minha querida, longo adeus. O grande sono. Não havia ninguém dentro do meu corpo, as minhas mãos no volante pareciam ser de outra pessoa.

O Cobrador, **1979**

Romance negro

*All that we see or seem
Is but a dream within a dream.*
Edgar Allan Poe

"Posso acariciar novamente sua clavícula?"
"Sim."
Winner tira a blusa de Clotilde. Depois pega-a no colo e deita-a na cama. Afaga-lhe os ossos da omoplata e do tórax, onde se firmam seios pequenos e empinados; apalpa-lhe as costelas conspícuas. O corpo de Clotilde às vezes lembra o de um lagarto, se um lagarto tivesse a pele tão fina.
"Levanta a cabeça", diz Winner depois de desnudar Clotilde. Com a língua sente os músculos abdominais da mulher, retesados sob a pele. Afaga com a mão a musculatura ondulada desse ventre que lhe parece, excitantemente, uma tábua de lavar roupa.
"Beija a minha boca", ela diz.
"Mostre-me sua língua."
Deitada, porém com a cabeça e os ombros erguidos, definindo ossos e músculos do corpo, Clotilde, cada vez mais um lagarto, salienta por entre seus pálidos lábios uma língua fininha, veloz e escura, comprida, que Winner consegue prender em sua boca e sorver, antes de começar a lamber meticulosamente as costelas da mulher. E, virando-a de costas, também lambe o seu cóccix; e, revirando-a, explora com a língua os joelhos, os cotovelos, e o astrágalo e o escafoide do pé direito de Clotilde.

Os movimentos imprimidos por Winner ao corpo de Clotilde deixam-na parcialmente caída ao chão, apoiada sobre a cabeça. Winner abre, então, as pernas magras de Clotilde e olha a fenda abstrusa de congestão e sombra que corta seu corpo. Com as cabeças no chão e as pernas para o alto sobre a cama, juntam-se, em sua volúpia, como dois morcegos.

"Sem saber seu segredo, nada de sério pode existir entre nós dois", diz Clotilde, depois. Levanta-se do chão e abre a janela. Uma brisa gelada entra pelo quarto.

"O que você vai fazer?"

"Vou me atirar pela janela. Quero morrer. Se você não me contar seu segredo, agora, prefiro morrer."

O vento frio balança os finos cabelos de Clotilde; até mesmo os duros enroscados pelos negros do púbis parecem tremer.

"Sai da janela. Chega de brincadeiras. Você vai acabar pegando um resfriado."

"Você me conta?"

"Desce daí. Deita aqui comigo."

Clotilde deita-se, a cabeça apoiada no braço de Winner. Em ocasiões anteriores, após terem feito amor daquela mesma maneira — um hipotético coitus cum bestia entre um lagarto fêmea e um homem — Winner lhe prometeu, falsamente, contar o segredo. Mas desta vez Clotilde tem um pressentimento de que o segredo está prestes a lhe ser revelado.

Peter Winner, o escritor, chegou a Paris nesta tarde chuvosa, com sua mulher Clotilde. Ficam apenas uma noite na cidade; no dia seguinte irão para Grenoble, onde se realiza o Festival International du Roman et du Film Noirs.

Agora estão os dois deitados na cama do hotel. Clotilde estende-se sobre o corpo de Winner, que tenta ler num jornal a notícia: "Estará presente ao Festival de Grenoble o famoso escritor americano Peter Winner. Seu último livro, *O farsante*, confirma sua atual fase de esplendor, iniciada com *Romance negro*. Até então considerado um escritor em decadência, o novo Winner —."

"Novo Winner! Cretinos!", diz o escritor amassando o jornal e jogando-o no chão.

"Calma, calma", diz Clotilde. Pega a mão de Winner e passa-a de leve na sua clavícula nua. Winner sente o osso de Clotilde, como se a pele dela fosse uma tênue camada de seda. Delicadamente afasta o leve corpo da mulher de cima do dele, pega o telefone na mesa de cabeceira e pede uma garrafa de champanha.

"Você não acha que já bebeu demais no almoço?", pergunta Clotilde.

"Depois de dois anos de casados você ainda não me conhece."

"Então me conta o seu segredo. Isso talvez me ajude a conhecê-lo", diz Clotilde. Ela sempre aproveita todas as oportunidades para fazer esse pedido. "Você me prometeu que um dia contaria seu segredo. Se você me contar o seu, eu lhe conto o meu."

"Não será uma troca justa. O meu é mais terrível."

"Estou pedindo. Vamos contar nossos segredos, um para o outro."

"Não estou interessado no seu segredo."

"Você não confia em mim?"

"Não."

"É algo relativo à sua homossexualidade?"

"Já lhe disse que não sou nem nunca fui homossexual. Pareço um homossexual para você?"

"Não. Mas todo mundo desconfiava que você era homossexual. Você ainda me ama?"

"Estamos falando de segredos ou de amor?"
"Segredos e amor estão sempre juntos", diz Clotilde. "Um depende do outro."

Clotilde é vista assim por Winner: magra, ossuda, olhos negros redondos como botões, dentes grandes e brancos que não deixam ver as gengivas.

Ficam em silêncio um longo tempo.

"Você está confortável? Não tem medo?"
"Não."
"Não o quê?"
"Não tenho medo do seu segredo."
"Eu matei um homem", diz Winner.
"Meu Deus", diz Clotilde. Mas ela não parece muito chocada. Ou por não acreditar em Winner — ele costuma inventar histórias desse tipo — ou porque ouvir que Winner matou alguém não é motivo para maiores comoções. Afinal, seu marido é um americano.

"Você não vai dar os detalhes? Quem era esse homem? Como foi?"

"Em Grenoble eu lhe conto. Agora vamos dormir."

No dia seguinte Clotilde e Winner acordam cedo para pegar o Train Noir. O trem, na verdade, não é negro, nem por dentro nem por fora. Negra é a literatura que seus ocupantes, nesta viagem, escrevem, revisam, publicam, propagam e vendem.

Winner permanece em sua poltrona, ao lado de Clotilde. Embebeda-se de champanha; recebe homenagens — "uma maravilha, o seu último livro" — com desprezo. E pensa na viagem que fez dois anos antes.

Ao chegarem a Grenoble uma limusine os espera. Alguns poucos escritores merecem esse tratamento especial; quase todos os demais, junto com os jornalistas, recepcionistas, agentes, editores, publicitários, relações-públicas, entram nos ônibus que os levarão para os seus hotéis.

O festival se realiza num local escuro que parece uma imensa caverna; ouvem-se, a intervalos regulares, através de alto-falantes ocultos, sons de avalanches, de trovões, de terremotos que ecoam nas sombras. Winner lê um folheto com informações sobre o festival e o programa específico que ele deve cumprir: participar de um debate e de uma noite de autógrafos.

DOIS ANOS ANTES

Seu comparecimento ao festival, há dois anos, criou uma comoção no mundo literário. Até então Winner não dava entrevistas, não comparecia a congressos, festividades, solenidades, acontecimentos sociais, e não havia dinheiro que o convencesse a aparecer na TV.

Mas Winner — que num raro pronunciamento havia justificado seu isolamento com a afirmativa de Kafka de que nunca há suficiente solidão em torno de quem escreve, acrescentando que prezava seu recato acima de tudo e que se orgulhava de não ter uma biografia — surpreendeu a todos naquela ocasião, dois anos atrás. Além de se exibir, de falar exaustivamente de si e dos outros escritores, atacou ruidosamente os franceses por não terem criado, como os americanos e os ingleses, uma tradição no roman noir. Finalmente, se enamorou de uma mulher e se casou com ela, quando todos o supunham um homossexual. Isso tudo no espaço de um mês. Há dois anos.

AGORA, NOVAMENTE EM GRENOBLE

Winner não está possuído pela mesma euforia. Tem, em sua mente, um vago plano sinistro que pretende colocar em prática durante o debate daquele dia.

Os participantes do debate se encontram momentos antes do seu início. São eles, além de Winner, a inglesa P.D. James, o americano James Ellroy e o alemão Willy Voos, que vive em Alicante, na Espanha. O moderador é o francês Jean-Claude Billé.

Nenhum deles conhecia Winner pessoalmente. Ellroy coloca a mão no ombro de Winner e diz "somos os continuadores da tragédia grega". Depois curva a cabeça para trás e uiva como se fosse um lobo.

P.D. James, muito anglicanamente, finge não notar o comportamento do americano. Voos não consegue esconder sua surpresa. O mesmo acontece com Billé.

"Você me lembra o carcaju que aterroriza os leitores de *The Big Nowhere*", diz Winner.

"Um rapinante feroz, le wolverine", diz Billé.

Ellroy uiva novamente. Os outros escritores, que admiram a brutalidade, a falta de compaixão da literatura de Ellroy, esperam que ele se acalme. Obviamente Ellroy não está drogado, nem está sofrendo um surto psicótico.

"Aos debates!", conclama Billé.

Num dos cantos da imensa caverna instalaram uma espécie de auditório, com uma mesa sobre um estrado e um semicírculo de cadeiras, todas ocupadas. Gente em pé.

Billé começa: "Dizem que para a chamada escola inglesa, crime, criminoso e vítima existem apenas para permitir ao detetive o trabalho de solucionar o Enigma. Segundo esse ponto de vista, os autores ingleses não perderiam muito tempo na descrição dos personagens e de suas motivações. Por outro lado, na escola americana, o Enigma é um pretexto para o crime. O crime, lado nefário, secreto e obscuro da natureza humana, é o essencial. O detetive americano despreza os valores da sociedade em que atua, seja ele um investigador privado, como Sam Spade ou Marlowe; seja um membro da força policial, como Hopkins; seja um paranoico obsessivo, fugitivo de um asilo de loucos, como Kramer, do *Romance negro*, de Winner. A corrupção, a violência, a loucura são a norma. O que P.D. James tem a dizer sobre isso?"

P.D. James responde com clareza: "Sim, nós acreditamos que o romance policial inglês, iniciado em 1848 com o livro *Moonstone*, de um autor muito ilustre, Wilkie Collins, deve narrar a descoberta de um crime através de um processo metódico e racional. A ação, em nossos livros, se desenvolve numa sociedade de hierarquias definidas, em que a paz e a ordem são a norma. O detetive, seja um investigador particular como Hercule Poirot, seja um inspetor da Scotland Yard, como Larry Holt ou o meu Dalgliesh, trabalha em defesa dessa sociedade cujos valores respeita e aceita. Mas, se a ordem e a paz são a norma, isto não significa que loucura, violência e corrupção não existam. Apenas são apresentadas sem a ênfase" — sorri amistosamente — "dos americanos."

"Quem é Larry Holt?", pergunta alguém na plateia.

"Personagem do Edgar Wallace", diz Billé, impaciente com a ignorância do assistente.

O debate torna-se muito técnico e passa a ser acompanhado pelos assistentes sem muito interesse; além do mais, nenhuma novidade está sendo dita.

Billé provoca Winner, perguntando se ele, ao afirmar, dois anos antes, que não existem outras escolas de romance negro além da inglesa e da americana, queria com isso dizer que apenas se escreve literatura negra na língua de Shakespeare.

"Não quero aqui expor novamente o que disse sobre a inexistência de uma tradição francesa de roman noir. Dois americanos, Poe e Hammett, estabeleceram, em épocas distintas, as características modernas desse gênero literário, mas dou a vocês, franceses, a honra de serem os principais exegetas, os hermeneutas do gênero. Vou responder sua pergunta de maneira sucinta. Existe literatura de mistério em todas as línguas. Simenon escreveu mais de uma centena de romances policiais... em francês. O Willy Voos, ao meu lado, escreve em alemão. Kyotaro Nishimura, também presente a este festival, tem centenas de livros policiais publicados, consta que escreve um por mês... em japonês. Dizem ainda que Yamamura Misa é mais rápida do que uma copiadora Nashua. Georgi Wainer escreve em russo. Montalbán e Juan Madri, em espanhol. A língua que produz mais escritores policiais no mundo é a catalã, considerando-se o número reduzido dos seus utentes. Escreve-se roman noir em urdu, tagalo, malgaxe, tâmul."

Winner faz uma pausa. "Verifico, porém, que muitos dos presentes — este senhor aqui na primeira fila, por exemplo, está a dormir — talvez estejam achando este debate muito aborrecido e eu tenho uma sugestão a fazer."

O homem a quem Winner se referiu abre o olhos, tira o cachimbo da boca, e diz: "Eu não estava dormindo. Gosto de fumar e ouvir com os olhos fechados. Se eu estivesse a dormir o cachimbo cairia da minha boca".

Risos.

"Qual é sua sugestão?", pergunta Billé, que não gostou da afirmativa de Winner.

"Acabamos de dizer que o romance negro se caracteriza pela existência de um crime, com uma vítima que se sabe logo quem é; e um criminoso, desconhecido; e um detetive, que afinal descobre a identidade desse criminoso. Assim, não existe o crime perfeito. Não é verdade?"

"Não, não existe o crime perfeito... na literatura", diz Voos.

"Nem na vida real", diz o homem do cachimbo. "Na vida real o que existe são detetives imperfeitos."

"Eu afirmo a todos vocês deste auditório que existe o crime perfeito, na vida real e, portanto, na literatura. Ou vice-versa, se preferem", continua Winner. "E posso provar isso."

"O crime nunca é perfeito porque o criminoso não conta com o acaso. O acaso, que obviamente nunca pode ser previsto, acaba por condenar o criminoso", diz P.D. James.

"O crime perfeito é como uma obra de arte. Na obra de arte, como disse Baudelaire, não existe o acaso, como não existe na mecânica. Uma obra de arte deve ser como uma máquina. O crime perfeito *é* como uma máquina", acrescenta Winner.

"Como você vai provar a existência do crime perfeito? Isso é algo como provar a existência de Deus", diz Ellroy.

"Numa história policial, permitam-me repetir, sabemos da ocorrência do crime, conhecemos a vítima, mas não sabemos quem é o criminoso. Neste crime perfeito todos saberão logo quem é o criminoso e terão que descobrir qual é o crime e quem é a vítima. Eu apenas mudei um dos dados do teorema."

"Quem é o criminoso, afinal?", pergunta Voos.

"Eu", diz Winner.

Ouve-se um burburinho entre os assistentes.

P.D. James sorri. Esses americanos... Ellroy ouve atento. Ellroy conhece os abismos, Ellroy sabe que ele cometeu mesmo um crime, e que esse crime é nefando, pensa Winner. O homem do cachimbo agora tem os olhos abertos.

"Cometi um crime, cujos indícios, garanto, estão ao alcance dos presentes. Estão todos desafiados a descobri-lo. Têm três dias para isso."

"Que tipo de crime? Há crimes tão inocentes que não somos capazes de classificá-los como tal."

Uma parte da plateia ri.

"É um crime muito grave", diz Winner.

"Espero que não esteja propondo que façamos com você o jogo do *Die Panne* do Dürrenmatt, em que você seria Alfredo Traps e nós Zorn, Kummer, Pilet. Ou seja, teríamos que buscar e revelar sua culpa nos fundos de sua consciência. A assunção da culpa, afinal, o redimiria", diz Billé.

"Essa observação do Jean-Claude me deu uma ideia. Eu sei quem é a vítima", diz um sujeito da plateia, um dos editores da antologia anual *Polar*.

"Quem é?"

"O nome dele é Peter Winner", diz o editor. "Os últimos livros de Winner são totalmente diferentes dos anteriores. A personalidade de Winner, hoje, é diferente da personalidade de Winner dois anos atrás. Você, Peter Winner, matou Peter Winner."

"Interessante", diz Winner.

"Ao escrever *Romance negro* você criou um novo Winner, matando o antigo. Algo parecido com o que Romain Gary fez com o Émile Ajar, apenas você não usou um pseudônimo, como ele."

"Então meu próximo passo será destruir fisicamente o velho Winner como Ajar fez com Gary?", pergunta Winner, com ironia.

"O suicídio é o pseudocrime perfeito. Se o seu suicídio acontecer nos próximos dias, mais uma vez será provado que não existe o crime perfeito, o que é mais fácil de provar do que a existência de Deus. Porque você terá matado o novo e não o velho Winner. Como fez Gary. Romain Gary, ao se suicidar, na verdade, matou Émile Ajar."

A intervenção do editor da *Polar* anima os debates. Todos os membros da mesa participam e também grande parte da plateia. Winner fica em silêncio, desenhando, num papel à sua frente, estrelas de cinco pontas, num traço contínuo sem levantar o lápis. Pode-se perceber que, além de imerso em profundos pensamentos, ele está irritado.

Billé nota o súbito alheamento taciturno de Winner. "Vamos encerrar este debate. Já passou muito da hora do jantar e estou com fome, e nossos debatedores devem estar cansados e com mais fome do que eu."

Os assistentes protestam, mas Billé desliga os microfones.

No carro, de volta para o hotel, Clotilde diz que Winner conseguiu salvar do tédio absoluto aquele debate tolo sobre as origens do roman noir. "Ellroy uivar como um lobo foi muito excitante, mas a provocação que você fez foi ainda mais. Gostei da maneira de você falar, a mão crispada, olhando nos olhos dos ouvintes."

"Um velho truque que aprendi com o homem que eu matei", diz Winner.

"Então você matou mesmo um homem?"

"Matei."

"Foi em legítima defesa?"

"Foi uma cilada dos deuses, como na tragédia grega."

"Quando chegarmos ao hotel você me conta tudo?" Clotilde dá uma gargalhada. O que ela gosta naquele homem, além das suas compulsões eróticas, é a sua imprevisibilidade.

Clotilde, ao telefone, pede uma garrafa de champanha e duas dúzias de ostras. "Você nada comeu o dia inteiro."

"Hoje só me apeteceria comer cérebros de avestruz, como Heliogábalo", diz Winner.

"Agora conte seu segredo."

"Certa ocasião o imperador romano comeu seiscentos cérebros de avestruz numa sentada", diz Winner.

"Morreu assassinado numa latrina. Justiça poética. Agora conte seu segredo", diz Clotilde.

"Assim que o champanha chegar", diz Winner. "Não acha melhor ficarmos nus? Você sempre disse que uma pessoa nua só pode dizer ou uma verdade óbvia ou uma mentira óbvia."

Depois que tomam uma taça de champanha e ficam nus, Winner começa sua história.

"Aquele editor chegou perto, ao expor sua teoria. Eu matei Peter Winner."

PRIMEIRO SEGREDO DE PETER WINNER OU JOHN LANDERS

"Há dois anos, na manhã do dia 20 de outubro, eu estava na gare de Lyon, dentro do Trem Negro que em alguns minutos partiria de Paris para Grenoble lotado de escritores famosos. Mas para conseguir isso precisei, num lance rocambolesco, matar um homem e assumir sua identidade. O nome desse homem? Peter Winner. Quieta, Clotilde! Silêncio, meu amor, cumpra sua promessa. Não me interrompa... Um pouco de paciência, minha querida... Dez minutos de atenção, basta isso, mas em silêncio, por favor... Creio que consegui, ao assassiná-lo, não importa o que disseram no debate, essa façanha difícil de ser alcançada até mesmo na ficção: o crime perfeito. Como Winner, minha querida, eu também havia sido professor de literatura. Essa era uma das coincidências que existiam entre nós, como sermos americanos autoexilados na Europa, filhos adotivos de indivíduos que talvez já tivessem morrido pois não nos correspondíamos com eles. Permita-me uma digressão: os escritores que têm uma experiência magisterial são mais lúcidos que os outros, desculpe a falta de modéstia. Dar uma boa aula exige saber pensar, e não apenas sentir. Sabemos o que estamos fazendo, ao contrário da maioria dos escritores que supõe que sentir é tudo. Como se uma carpideira amadora, dessas que se debulham em lágrimas autênticas em qualquer funeral, soubesse, apenas por isso, escrever sobre a dor. Uma porcentagem imensa de escritores escreve sem ter noção exata do seu ofício, por isso existe tanta porcaria disfarçada em literatura. Agora, nós que já ensinamos literatura — não importa que tenha sido num colégio secundário de Newton, Massachusetts, como eu, ou em Princeton, como o verdadeiro Winner —, nós sabemos o que estamos escrevendo, mesmo quando é também uma porcaria."

"Não faça circunlóquios", diz Clotilde.

"Se você continuar me interrompendo eu paro de contar minha história. O verdadeiro Winner, ao contrário de mim, até então um perdedor, era um escritor que merecia seu nome, coberto de fama, glória e dinheiro, ainda que os últimos livros dele tivessem sido uma merda. Ele podia ter ido para o Ritz, mas, por delicadeza, para não parecer arrogante, hospedara-se no Hotel des Saints-Pères, na rua do mesmo nome, onde vocês da editora Grasset costumavam hospedar os seus escritores quando estes visitavam Paris. Isso não foi difícil de descobrir.

"Winner não gostava de dar entrevistas, nem de ser fotografado; tinha horror de caviar e de Mozart; talvez fosse homossexual. Isso era praticamente tudo o que se sabia sobre esse escritor famoso. Um sujeito misterioso, que muito pouca gente conhecia pessoalmente. A mim também ninguém conhecia, mas por outros motivos; eu era completamente ignorado, vivia, depois que me exilei, dando aulas de inglês pela França, em cidades diferentes — o que não deixou de ser interessante pois assim conheci essas belas pequenas cidades francesas — e meu nome, John Landers, nada significava por um motivo muito simples: eu chegara aos quarenta anos sem jamais fazer qualquer coisa que merecesse a atenção dos outros."

"Devo chamar você de John, a partir de agora?", pergunta Clotilde, ironicamente. O que o homem lhe conta não é O segredo, é mais uma das histórias que gosta de inventar, ela já está acostumada com isso.

"Não, Clotilde, você não tem que me chamar de John, pode continuar a me chamar de Peter. Agora cale-se, por favor.

"Eu não tinha a menor ideia de como era Winner, seus hábitos, sua fisionomia, sua altura, se era gordo ou magro; afinal, não havia fotografias recentes dele; como no caso do Pynchon, sua única foto era de quando tinha dezoito anos. Mas eu conhecia uma fraqueza dele: sua admiração doentia por Edgar Allan Poe. Aqui surge outra coincidência: eu também admirava, e admiro, como você sabe, a obra de Poe.

"Consegui que Winner viesse ao telefone, alegando ser um auxiliar de Clotilde Farouche. Você era editora da Grasset, naquela ocasião, a editora de Winner e — mais uma coincidência — se recusara a publicar um livro meu. Lembra-se? *O quarto fechado*, de John Landers? Não responda agora.

"'É sobre o billet para o Train Noir', eu disse, quando Winner atendeu ao telefone.

"'Já recebi', ele disse.

"'Houve um engano e será preciso trocá-lo, posso levá-lo ao seu hotel agora?'

"Winner demorou a responder: 'Esperarei no lobby, usando um sobretudo preto e um chapéu, também preto, na cabeça.'"

"Ele, evidentemente, não queria receber um estranho no recôndito do seu quarto. Eu, John Landers, hospedara-me num pequeno hotel da rue St. André des Arts. Carregava comigo uma pequena maleta com roupas, dentro da maleta algumas cartas, entre elas sua resposta recusando *O quarto fechado* e os originais de um novo romance que eu pretendia submeter à apreciação de uma outra editora que não tivesse em seus quadros um animal feroz como Clotilde Farouche, hoje Clotilde Winner, na verdade Clotilde Landers. E ainda entre meus pertences havia uma revista velha, o maior tesouro que tive e terei em toda minha vida e que eu carregava comigo para onde fosse, com medo de que a roubassem ou de que o lugar onde eu a deixasse pegasse fogo. Estando comigo ou eu a salvaria ou pereceríamos juntos, e eu não enfrentaria o horror de perdê-la. Hoje está num cofre de banco, em Zurich.

"Levei um susto ao ver Winner no lobby do hotel. Era parecidíssimo comigo, a mesma estatura, o mesmo rosto longo, o mesmo queixo fino. Eu usava óculos e ele não; quando tirou o chapéu para cumprimentar-me, notei que era um pouco mais calvo do que eu. Sua pronúncia invencível de caipira do Kentucky — soube depois que vivera sua infância numa cidadezinha chamada Harrodsburg — não combinava com seus gestos sutilmente efeminados.

"Winner pareceu não ter notado nossa semelhança física. Na verdade, mal olhou para mim. Deu-me o billet onde estava escrito **TRANS-POLAR EXPRESS** — *Festival International du Roman et du Film Noirs. Billet aller Paris-Grenoble. Départ vendredi 20 octobre à 9h25 Gare de Lyon/Paris — voie nº 5, voiture nº 7, place 104, nom Peter Winner.* Até hoje sei de cor os termos daquele bilhete de trem.

"'Não trouxe o billet novo', eu disse, embolsando o que Winner me dera, 'ele lhe será entregue na gare.' Antes que Winner dissesse qualquer coisa eu lhe entreguei a velha revista — o tesouro! — que levara comigo. 'Sou um grande admirador seu, isto é um presente, ficará em melhores mãos', eu disse.

"Ele pegou a revista. Quando descobriu o que tinha entre os dedos, seus olhos se arregalaram, suas mãos tremeram, creio mesmo que ficou lívido. Num impulso, que certamente lhe custou muito, devolveu-me a revista dizendo 'não posso aceitar esse presente, o senhor deve ter perdido a razão'.

"'É sua', eu disse, deixando a revista nas suas mãos e virando-lhe as costas. Abri a porta de vidro do hotel, saí na rue des Saints-Pères e caminhei em direção ao boulevard St. Germain, virei à direita, na esquina do boulevard, sem saber o que fazer, o coração apertado. Meu ardil não dera certo; eu estava certo de que Winner viria atrás de mim, mas ele não viera e ficara com a minha revista. Desgraça! Horror! Eu precisava recuperá-la.

"Desesperado, entrei num restaurante que ficava quase na esquina da rue de Rennes. Pedi uma garrafa de vinho. Bebi sofregamente um copo cheio até a borda.

"'Posso sentar-me?', ouvi uma voz dizer. Era ele. Com a revista na mão.

"'Sim', disse eu, levantando-me num salto e puxando a cadeira para ele se sentar.

"'O amigo', ele chamou-me de amigo, carinhosamente, 'sabe o valor desta revista?'

"'Sei, só existe um outro exemplar no mundo', eu disse.

"'Com Henry Glassco Borden, um colecionador de Toronto', ele acrescentou, olhando a revista.

"Pensei que ele ia chorar, mas sua emoção não chegou a tanto, apenas recitou com a voz embargada pela emoção: '*Graham's Magazine*, Filadélfia, abril de 1841, a obra inaugural, *Os crimes da rua Morgue*.' Então esfregou os olhos e disse 'não posso aceitá-la'.

"Peguei a revista e coloquei-a sobre a mesa, entre nós dois. Pedi um copo para ele. Bebemos, em silêncio.

"'Você de onde é? Seu sotaque não é muito definido.'

"'Sou de Boston', respondi, 'mas desfiz-me da pronúncia pernóstica dos meus conterrâneos.'

"'Eu não consegui livrar-me da minha, talvez por ser mais autêntica que a sua... Boston... Que coincidência... Vem daí o seu interesse por ELE?'

"Parafraseei W.C. Fields: 'Pelo que me concerne ELE podia ter nascido em Filadélfia.'

"'Como a revista chegou às suas mãos?', Winner perguntou.

"'É uma história tão extraordinária que temos que combinar uma ocasião especial para contá-la.'

"'Hoje, meu caro, é a oportunidade para isso, estou em suas mãos.'

"'Hoje não, outro dia... É uma longa história...'

"Ele bebeu e murmurou 'tem que ser uma longa história... *Graham's Magazine*... Isto é um sonho... Inacreditável...'.

"Menti: 'Tenho um exemplar original, de 1848, do ensaio *Eureka*.'

"'Não sou um admirador cego', disse Winner, '*Eureka* é apenas um ensaio místico e pretensioso sobre o cosmos e o engraçado é que, quando terminou de escrevê-lo, Poe afirmou que havia descoberto o segredo do universo; mas, em abril de 1841' — Winner apontou a revista sobre a mesa —, 'ELE não fez nenhuma declaração bombástica e no entanto realizava, com *Os crimes*, esse prodígio: a criação de um novo gênero literário.'

"Bebeu, olhando-me com superioridade por cima do copo. Depois dos arroubos juvenis, mas plenamente justificáveis, ante o *Graham's Magazine*, ele queria pôr-me no meu lugar.

"'*Eureka* não é *apenas* um ensaio pretensioso sobre o universo, nele Poe descobriu a solução do paradoxo de Olbers', protestei.

"'Não deixe o fanatismo prejudicar sua capacidade de julgamento', Winner retrucou. 'Poe foi, quando muito, nesse ensaio, o primeiro a sugerir o conceito de um universo em expansão.'

"Engoli a maneira desaforada com que ele me corrigira. Winner, como ex-professor universitário, provavelmente saberia mais coisas do que eu, um professor ginasiano de Newton, Massachusetts.

"Winner, sem dúvida, me desafiava demonstrando que eu não podia surpreendê-lo, que sabia tudo o que eu sabia, e mais ainda. Portanto, enquanto bebíamos tagarelávamos sobre o nosso ídolo como dois professores que éramos, tentando demonstrar que um era mais erudito do que o outro. Escritores e professores são basicamente pessoas exibicionistas. Do contrário, como suportariam o trabalho que fazem? Eu disse a Winner que escrevia ficção e gostaria de ser um escritor profissional mas que até então jamais fora publicado. 'Só existe uma verdade fundamental sobre o ofício de escrever', Winner respondeu, 'mas eu não vou lhe dizer que verdade é essa, você deverá descobri-la sozinho.' Peço desculpas, querida Clotilde, pela parte que se segue do meu relato, que é muito aborrecida. Porém, sinto-me compelido a contá-la, ainda que não passe de um diálogo arrogante, um desafio infantil de dois homens vaidosos, que lutavam para provar que um era melhor do que o outro, empenhando-se, na verdade, em uma palrice fátua. Você bocejou. Quer que eu pule este pedaço?"

"Não", disse Clotilde. "Que verdade fundamental é essa que o escritor deve conhecer?"

"Você saberá qual é, daqui a pouco. Deixe-me continuar. Sopitei minha ira. Bebemos, como gostam de fazer os escritores. E os professores. Na segunda garrafa de bordeaux, iniciamos uma discussão áspera em torno da concepção de que o romance policial teria sua origem numa fábula oriental milenar, *Peregrinação dos três jovens filhos do rei de Serendip*, reelaborada por Voltaire em *Zadig*.

"'Pode existir aí, realmente', disse Winner, 'um modelo epistemológico, ou paradigma indiciário, como prefere Ginzburg, mas os filhos do rei, ao fazerem descobertas analisando a natureza das relações entre determinados indícios, podiam estar, se tanto, inventando a semiótica.'

"Acrescentei, com um ostensivo sorriso irônico: 'além de dar a Walpole a oportunidade de cunhar um neologismo engraçado, serendipity.' E aduzi que se fôssemos fazer especulações com aquela larguez, numa *regressio ad infinitum*, possíveis origens embrionárias do romance policial também poderiam ser encontradas nos profetas bíblicos, nos textos pertencentes aos *Apocrypha*, ou nas *Mil e uma noites*, as quais, por seu turno, segundo estudo de uma pesquisadora do Instituto de Estudos Orientais da Universidade de Oxford, teriam sido copiadas de Homero e de lendas mesopotâmicas; ou, mais proximamente, a inspiração do romance policial poderia ser encontrada em Boccaccio, ou em Chaucer — muito antes do *Zadig*.

"Winner emborcou todo o vinho do copo, num sôfrego e longo gole. Perguntei-lhe se não achava interessante a epígrafe escolhida por Poe para *Os crimes*, uma reflexão de sir Thomas Browne, um médico e escritor do século XVII, precoce praticante da semiótica médica. Você, Clotilde, conhece a epígrafe de Browne? *Que canto entoam as sereias ou que nome Aquiles adotou quando se ocultou entre as mulheres são questões* que, conquanto enigmáticas, não estão além de todas as conjecturas. Conhece?"

"Hum... Não...", responde Clotilde.

"Winner rebateu a menção que fiz à epígrafe de Browne dizendo ser óbvio que não existiam pistas impossíveis de serem decifradas, como afirmava um outro médico, mais famoso, Freud, leitor e admirador de Conan Doyle; e por falar em Freud, continuou Winner, 'não mantenho uma conversa tão agradável e estimulante desde o tempo em que morei em Viena, e costumava passar as noites nos cafés em longas discussões filosóficas'.

"'Muito obrigado', respondi.

"'Há qualquer coisa nos cafés de Viena...', disse Winner, olhando para o teto.

"Deixei que ele rememorasse os cafés de Viena algum tempo.

"'Li nos jornais que você irá falar sobre Poe, no Festival de Grenoble.'

"'Sim, sim', ele disse, 'mas não falarei exatamente sobre Poe; este festival, como todos os festivais, espera que você fale superficialidades; na verdade, não me apresentarei pessoalmente, alguém lerá para mim o que pretendo dizer, o que evidentemente não será a afirmativa sovada de que o roman noir, novela negra, kriminal roman, romance policial, romance de mistério ou que nome possua, teve suas regras simples estabelecidas por Poe ao publicar *Os crimes*, nessa mesma revista que temos à nossa frente: um crime misterioso, um detetive — Dupin, no caso de Poe — e uma solução. Nem falarei nas duas grandes correntes derivadas da obra do grande inventor: a inglesa e a americana; ou seja, desprezarei esses fatos conhecidos até das pessoas que apenas veem televisão.'

"'As pessoas gostam de ouvir coisas que já sabem', eu disse, 'ouvir músicas que já ouviram; mas uma coisa que me intriga, e deve intrigar a todos, é a razão pela qual você decidiu comparecer a um congresso ou festival pela primeira vez na sua vida.'

"Ele pensou um pouco e disse que sua ida tinha várias razões, a primeira, e menos importante, aproveitar a oportunidade para provocar os franceses com uma pergunta cuja resposta não era tão fácil de responder quanto parecia.

"Winner iria indagar, no festival, desafiando, por que não havia surgido, no roman noir, uma corrente francesa, com peculiaridades próprias e com importância idêntica às correntes de língua inglesa? Afinal as *Memórias*, do francês François Vidocq, de 1828, anteriores portanto ao livro de Poe, só não haviam inaugurado o gênero por não serem uma obra de ficção; e o primeiro seguidor notável (efeito Baudelaire?) de Poe foi o também francês Émile Gaboriau, com *O caso Lerouge*. 'Por que', Winner tornou-se ainda mais enfático ao fazer esta pergunta, 'por que o famoso detetive Lecoq, criado por Gaboriau, não deixou uma boa descendência? Reconheço', continuou, 'que os franceses, conquanto medíocres praticantes do gênero — Simenon é uma exceção não muito brilhante —, são inteligentes exegetas e entusiasmados consumidores; eles decidem quem faz, ou não, parte do clube. Por exemplo, Walpole, que escreveu *O castelo de Otranto* em 1746, considerado por alguns estudiosos equivocados como o iniciador do romance negro, quando na verdade é um dos precursores da novela gótica, não entra no clube. O Umberto Eco, de *O nome da rosa*, entra. Mas por que não surgiu uma corrente verdadeiramente francesa? Por que eles insistem em imitar os americanos? Em dar importância a Goodis e outros analfabetos?

Sabe de uma coisa?', Winner segurou meu braço com força, 'Foram os franceses que difundiram esse gossip nojento de que eu seria um homossexual. Odeio os franceses, os chauffeurs de táxi primeiro, depois os críticos. Estes últimos, aliás, de todas as nacionalidades.'

"'E a segunda razão?', perguntei.

"'A segunda razão é que estou acabado. Não consigo mais escrever e, se conseguisse, não teria coragem de publicar. Devo estar muito bêbado para fazer essas confidências a um desconhecido, mas somos americanos, que diabo, se eu não confiar em um patrício, em quem poderia confiar? O escritor', ele suspirou, 'quando não consegue mais escrever, comparece a congressos, instiga os outros a lhe prestarem homenagens, a organizarem banquetes glorificantes, busca medalhas, prêmios, coroas de louros, edições comemorativas.'

"'Você falou em várias razões para comparecer ao festival, há uma terceira?', perguntei.

"Ele riu, misterioso: 'Sim, mas eu não lhe direi qual é... Algo que impediu que eu me matasse...'

"Essa foi sua última tirada compreensível. Com uma subitaneidade de relâmpago, Winner, completamente embriagado, passou a tartamudear frases desconexas, misturando reminiscências de Viena com poemas de Poe, recordações de alguém que ele amava, ou amara, com declarações sobre a falta de respeito — de leitores, jornalistas e críticos — ao direito à privacidade dos artistas. E disse o nome de uma pessoa, um nome de homem. Sandro.

"'Vamos ao meu hotel, quero lhe dar o exemplar de *Eureka*', eu disse. Mas eu podia ter feito qualquer outro convite, pois Winner nada ouvia ou não estava interessado em ouvir outra coisa que não fossem as vozes interiores das suas reminiscências.

"Fomos de táxi para a rue St. André des Arts. Winner, surpreendentemente, caminhava sem dificuldade, apenas se apoiando com força no meu braço. Como não havia entregue na portaria, ao sair, a chave do quarto, não precisei pedi-la, pois estava no meu bolso. Fomos para o elevador, sem chamar a atenção de ninguém. Entramos no quarto. Eu tinha uma garrafa de champanha na geladeira. E possuía, num frasco dentro da mala, uma quantidade de veneno que era suficiente para matar uns dez escritores, por mais famosos que eles fossem. O champanha e o veneno eram para matar você, Clotilde, a editora que recusara meu livro, o livro de John Landers."

"Meu Deus, isso que você está me contando é verdade! Pensei que era ficção", diz Clotilde, "mas seu corpo nu está dizendo que tudo é verdade."

"Perdeu a coragem para ouvir até o fim? Você não queria ouvir o meu segredo? Então cale-se, e ouça."

Clotilde sai da cama, senta-se na poltrona do quarto, de boca aberta, pasma.

"Mas o destino me oferecera uma oportunidade de dar um melhor uso à estricnina do frasco. Coloquei, dissimuladamente, um pouco do veneno na taça e dei-a a Winner.

"'A Edgar Allan Poe', brindei.

"'A Poe', respondeu Winner, sorvendo de um gole todo o conteúdo da taça.

"Pensei que Winner mostraria imediatamente os estertores dos moribundos. No entanto, o veneno pareceu tê-lo curado da bebedeira, pois ele voltou a falar de maneira lúcida e articulada. 'Quando publiquei meu terceiro romance pela Grasset', disse Winner, 'os franceses incluíram-me no clube, o que significa convites para participar deste festival que ocorre todos os anos em Grenoble. Para mostrar o tipo de critério adotado pelos franceses, entre os convidados deste ano estão alguns escritores que não costumam ser identificados como autores de romances policiais, como Vaclav Havel, Umberto Eco, Howard Fast, para citar apenas alguns. Creio que parte ponderável da minha literatura também não se enquadra nas normas do gênero.'

"Que porcaria de veneno era aquele?, pensei, já começando a entrar em pânico.

"'Menciono, querido amigo, com certo constrangimento', continuou Winner, 'essa opinião pessoal sobre meu trabalho, algo que detesto fazer, para poder referir-me a um artigo que li não me lembro onde, em que o crítico afirmava que meus primeiros livros, com seu conteúdo de violência, corrupção, conflitos sociais, miséria, crime e loucura, podiam ser considerados verdadeiros textos de romance negro, ao contrário dos escritos por certos autores ingleses, acusados pelo crítico de fazerem littérature d'évasion; do meu ponto de vista os integrantes da escola inglesa fazem algo que pode ser melhor definido como littérature d'énigme, direi isso, quando chegar a Grenoble.'

"Winner cambaleou e abraçou-se a mim. 'Você é um bom sujeito, vou lhe dizer a verdade fundamental que todo escritor cedo ou tarde tem que descobrir. Ouça, meu amigo, guarde isto: as palavras não são nossas amigas. Uma verdade simples: as palavras são nossas inimigas. Eu descobri tarde demais.'

"Felizmente naquele momento Winner levou as mãos à garganta e caiu ao chão, tremendo convulsivamente. Como acontece nas óperas, ele somente morreu depois de cantar sua ária por inteiro."

Confusa, Clotilde sabe agora, tem certeza, que Peter, John, este homem ao seu lado, seja qual for o nome dele, está

afinal contando O seu segredo terrível, conforme prometeu.
Sai da cama e tranca-se no banheiro.

Peter Winner, aliás John Landers, bate de leve na porta.

"Volta aqui, Clotilde, você disse que queria ouvir meu segredo. Agora terá que ouvi-lo até o fim."

Clotilde depois de algum tempo abre a porta. O homem a agarra pelos braços ossudos e a leva de volta para a poltrona do quarto.

"Não quero me sentar. Vou ficar fazendo ginástica." Clotilde faz várias horas de ginástica por dia, todos os dias da semana.

"Posso continuar? Agora não posso parar. Por favor."

A voz do homem, para Clotilde agora um homem diferente, um desconhecido excitante, soa tão delicada e atraente, e o rosto dele sugere enigmas tão irresistíveis que Clotilde, enquanto faz seus exercícios abdominais deitada no chão, sente um frisson erótico perpassar seus músculos e suas vísceras. "Sim, continue."

"Ao verificar que Winner havia realmente morrido, despi-o completamente. Em seguida desnudei-me também. Ali estava eu, nu, com um homem morto também nu, e era a nossa nudez que tornava irreal, como um sonho, ou um pesadelo, aquela situação, não a circunstância de eu ter acabado de me tornar um assassino. Eu tinha que vestir a roupa do morto, mas não consegui colocar a cueca dele, uma sunga preta, senti nojo, e voltei a vestir a minha, uma cueca branca comum. Nos bolsos do morto, agora vestido com minhas roupas, ficaram o meu passaporte e a carta de Clotilde Farouche, a sua carta, desculpando-se em nome da Grasset por não editar o meu livro. Nos bolsos do paletó preto de Winner, que eu passara a vestir, estavam o passaporte e outros documentos do morto, uma carteira com cartões de crédito, um talão de cheques do Chase Manhattan Bank e um maço grosso de traveller's cheques, notas de cem dólares, num total de dez mil. Apanhei papel de carta do hotel e escrevi meu bilhete de suicida, em francês. Uma coisa simples, como deve ser a despedida de um escritor fracassado, que tem os originais dos seus romances recusados por todas as editoras: *Je soutenais l'éclat de la mort toute pure. Un homme mort n'est qu'un homme mort, et ne fait point de conséquence. Adieu. John Landers.* O primeiro período era do Valéry. O segundo, do Molière. O adeus era meu mesmo. Coloquei o bilhete sobre a mesa de cabeceira, junto com as chaves do hotel. Eu havia, por momentos, pensado na possibilidade de encontrar uma maneira de deixar o quarto trancado por dentro, sempre gostei das histórias em que o morto está dentro do quarto fechado por dentro, como *Na pista do alfinete novo*, de Edgar Wallace, mas não tinha nem um fio nem um alfinete comigo para poder fazer o truque do livro. A última coisa que fiz foi colocar meus óculos no rosto de Winner. A única imprevidência, o único erro que cometi foi manter comigo o frasco com o resto do veneno quando o certo seria deixá-lo ao lado do corpo; mas essa anormalidade não foi percebida pelos policiais que investigaram o suicídio; e afinal me foi muito útil, posteriormente, como você, um dia, talvez venha a saber."

"Onde está esse frasco?", pergunta Clotilde.

"No meu bolso. Carrego ele sempre comigo. É um pequeno vaso negro de cristal. Muito bonito."

"Me mostra", diz Clotilde.

Landers tira o frasco do bolso.

"O veneno que você guarda aí ainda está destinado a mim?"

Winner leva o frasco à boca e suga o seu bocal.

"Não, não", grita Clotilde agarrando-se a ele.

"Está vazio. Eu o guardo comigo como se fosse um talismã, para dar sorte."

Faz uma pausa, pensativo.

"Ou então, ou então... eu o guardo porque... Ora, deixe-me continuar minha história infame.

"Paramentado com as roupas escuras do grande escritor, inclusive seu sobretudo negro e o chapéu de feltro também negro, olhei-me no espelho. Se alguém me visse sair pensaria que aquele homem soturno era o próprio Winner. Apanhei na mala o manuscrito do meu segundo romance, que eu não pretendia submeter, como fizera com o primeiro, ao exame da Grasset, mas que agora, graças ao crime perfeito que cometera, seria entregue a você, Clotilde, como se fosse de Winner — e saí do quarto. Para minha sorte o homem da portaria nem sequer me olhou. Landers, o pobre escritor que tivera seu livro recusado pela Grasset, estava seguramente morto no seu quarto. Un homme mort n'est qu'un homme mort, et ne fait point de conséquence. Todo vestido de negro, dirigi-me ao Hotel des Saints-Pères. Na portaria, um homem de meia-idade, arrogante e grosseiro, cheio de empáfia. Essas pessoas costumam ser exibicionistas e pouco perspicazes. Pedi a chave do quarto, dizendo meu novo nome. Com a chave, recebi uma mensagem telefônica. Fingindo ler o bilhete, verifiquei o número do quarto numa pequena plaqueta anexa à chave: 202. Provavelmente segundo andar. Sentei-me numa cadeira do lobby, olhando dissimuladamente o que havia em torno, procurando descobrir o elevador, agora lendo realmente o bilhete: *Estaremos juntos no trem. Estou ansiosa por conhecê-lo. Clotilde F.* Por alguns instantes meditei, satisfeito: Clotilde não conhecia Winner. Excelente. Seguindo as andanças de um hóspede pude afinal achar o elevador, quase escondido num desvão. Chegando ao, agora, meu quarto, abri a mala de Winner e examinei as roupas e os papéis numa pequena pasta de papelão. Durante as longas falas de Winner bebendo vinho, eu pudera estudar-lhe os gestos, as inflexões de voz. Ao falar, Winner levava a mão direita — nunca a esquerda — crispada à frente do rosto, como se estivesse agarrando e virando pelo avesso as palavras que dizia. Também tinha o vezo de passar a unha do polegar da mesma mão direita em cima do lábio superior. O difícil, para mim, foi imitar o sotaque matuto de Winner. Fiquei em frente ao espelho ensaiando os gestos, enquanto lia os papéis ou repetia as frases que me lembrava de Winner ter dito. Li, nos papéis, uma das frases que eu achara bastante interessante para uma conversa de bar, supondo, é claro, que tivesse sido elaborada naquele momento. Na verdade, Winner a havia decorado: 'Pode existir aí, realmente, um modelo epistemológico, ou paradigma indiciário' etc. etc. Também as referências ao Horace Walpole, aos profetas bíblicos, *Zadig* etc. etc. estavam anotadas em folhas de papel pautado. O resto da noite — pois não dormi um segundo — passei imitando a assinatura do passaporte de Winner."

"Acho melhor pedirmos outra garrafa de champanha", diz Clotilde. Olha o homem à sua frente como se o estivesse vendo pela primeira vez.

"Você não quer ouvir mais?"

"Não sei. Vamos tomar champanha primeiro."

O garçom traz o champanha. Ficam bebendo em silêncio.

"Você não se arrependeu desse pecado?"

"Sou ateu e cruel, você sabe disso."

"Matar uma pessoa é também um crime odiento."

"É verdade. Mas não estou arrependido."

"Mentiroso", grita Clotilde. Atira-se sobre Landers, desfere-lhe socos e pontapés.

"Se você não se arrependeu, como posso perdoá-lo?", diz Clotilde chorando, sem parar de desferir socos.

A agressão de Clotilde deixa Landers, momentaneamente, sem palavras.

Clotilde tira um vestido da mala. Veste-se.

"Aonde você vai?"

"Vou ao cinema. Não sei se volto. Estou muito perturbada."

Logo que Clotilde sai Landers pega a pasta de papelão com anotações, os prolegômenos apodíticos de Winner, que ainda guarda consigo. Já se passaram dois anos e ele não consegue destruir estes papéis.

Não há novidades, para Landers, nas observações de Winner. Intriga-o o ódio que Winner sentia por Stout... Ele, Landers, também detesta Stout, mas seu motivo é diferente do de Winner. Ele inveja Stout porque Stout vendeu mais de cem milhões de exemplares de seus livros. Stout está morto mas a inveja continua. As razões de Winner estão registradas nos apontamentos: "Stout", ele escreveu, "criou um pastiche vulgar de Conan Doyle, com uma dicção diluída de Hammett. Nero Wolfe, seu personagem, é um gordo arrogante cheio de empáfia que passa o tempo cuidando de orquídeas, essa flor horrenda que vale apenas pela relativa raridade. Archie Goodwin é um fâmulo idiota sem caráter, indigno do seu modelo, o dr. Watson".

Engraçado Winner não gostar de orquídeas, pensa Landers; ele tem a impressão de que os homossexuais adoram orquídeas. Stout é tudo aquilo que Winner disse dele; nos livros medíocres de Stout, Landers encontrou apenas uma boa frase, para um autor policial: "Se tivermos que julgar um homem por um único ato, e se pudéssemos escolher esse ato, deveríamos avaliar a maneira como ele se olha no espelho."

Clotilde saiu sem nada levar com ela. Só com a roupa do corpo uma mulher não vai muito longe.

LANDERS REMEMORA O QUE OCORREU HÁ DOIS ANOS

Lembra o primeiro encontro que teve com Clotilde, poucas horas depois ter matado Winner.

Dois anos se passaram. Ele chegou à gare de Lyon por volta de nove horas. O Trem Negro esperava por ele. Uma mulher, na entrada da plataforma, lhe deu uma pasta negra com papéis e colocou um crachá com o nome de Winner no seu peito, que ele retirou ao entrar no trem. Às nove e vinte e cinco em ponto, o Trem Negro, lotado de autores, críticos, editores, jornalistas e publicitários, partiu da gare. Quase todos usavam o crachá com o nome escrito em letras negras. Landers, na janela, fingia olhar a paisagem francesa daquele outono. Na verdade, observava dissimuladamente as pessoas que iam e vinham, sentavam e levantavam, tentando exibir nervosamente inteligência e sabedoria, afinal eram intelectuais, enquanto diziam tolices. Como esses cretinos e essas cretinas haviam conseguido publicar os seus livros enquanto ele continuava um escritor inédito? A Grasset, que publicava um monte de mediocridades, não queria publicar o seu romance. Na verdade, não havia mais editoras independentes, todas integravam grandes conglomerados financeiros controlados por estúpidos self-made men que haviam ganhado dinheiro de maneira selvagem e inescrupulosa e encaravam o livro como uma mercadoria qualquer. Naqueles dias, mesmo com a irresistível força do ressentimento que o dominava, Kafka não conseguiria ser publicado, nem Poe, nem Baudelaire, nem nenhum autor novo realmente significativo, como ele, Landers, por exemplo. Imerso em seus pensamentos rancorosos não percebeu, de imediato, uma pessoa sentar-se ao seu lado. Uma jovem bonita, de olhar arguto.

"Você é mr. Winner?", ela perguntou.

"Não sei quem é essa pessoa."

Ela riu, com bom humor. "Você é Winner. Mostre-me seu crachá."

Ele tirou o crachá do bolso, com o nome de Winner.

"Eu sabia. Sou Clotilde Farouche."

Landers não conseguiu dominar o tremor que por momentos dominou seu corpo. Clotilde F., a editora da Grasset que recusara seu livro! Procurou disfarçar seu embaraço com uma brincadeira: "Pensei que você era gordinha como a Clotilde do Auguste."

"Nem gordinha nem positivista... Não sabe o prazer que sinto em conhecê-lo. Trocamos tantas cartas..."

"O prazer é meu."

"Estamos ansiosos, na Grasset, pelo seu próximo livro..."

"Não seja por isso."

Entregou os originais para ela.

"*Romance negro*...Você sabe como gosto de dar sugestões sobre os títulos dos seus livros... Lembra quantas cartas tive de escrever até você aceitar mudar o título do último?"

"Este é sobre a minha vida."

"Não acredito. O que é bom nos seus livros é que você nunca escreve exatamente sobre sua vida. Como disse Gide" — eles conversavam em inglês, a frase de Gide foi dita em francês — "le romancier médiocre fait ses romans d'après sa vie réelle, le bon d'après ses vies possibles. Você está definitivamente entre os *bons*."

Ele pensou, enquanto ouvia Clotilde, que se escrevesse objetivamente o que acontecia naqueles dias, e publicasse, seria uma história que, apesar de real, certamente despertaria o maior interesse do leitor. Inventar o real, tornar verdadeira uma vida falsa, ou, mais relevante ainda, falsa uma vida verdadeira, era uma bela tarefa para um escritor.

"A parceria do escritor com o leitor é menos importante do que sua conivência com o personagem", disse Clotilde, "mas vocês não podem revelar isso aos seus leitores, eles têm que se sentir coautores da história que estão lendo."

Mas na verdade, Landers pensa agora, um relato sobre o assassinato de Winner, se fosse publicado, suprimida a pedante parte professoral, seria lido com atenção não pela cumplicidade entre ele e o leitor, mas, principalmente, pela secreta simbiose corrupta existente entre autor, ele e personagem, ele também.

Sua mente divaga. Afinal, por que e para que escrever? Lembra-se de Broch e Canetti conversando: "Será que é tarefa do escritor trazer mais medo a este mundo? Será este um propósito digno do ser humano?"

Sim, sim, o objetivo honrado do escritor é encher os corações de medo, é dizer o que não deve ser dito, é dizer o que ninguém quer dizer, é dizer o que ninguém quer ouvir. Esta é a verdadeira poiesis.

"Eu matei Peter Winner! Ouviu Clotilde?!", grita Landers, dentro do quarto.

Nesse instante Clotilde bate na porta.

Clotilde entra e senta na poltrona do quarto, confusa.
"O que você estava gritando?"
"Que matei Winner."
"Estou atordoada. Você está dominado pelo espírito doentio de Poe. Mas fique sabendo: *Os crimes da rua Morgue* é o conto mais idiota que já li em toda a minha vida."
"Não diga uma coisa dessas", retruca Landers, infeliz.

"O criminoso é um macaco, um animal sem o livre-arbítrio, essa característica que dá profundidade aos atos dos grandes criminosos."

"Você está querendo me punir com essas palavras", diz Landers. "Não encha meu coração de desgosto."

"Um ser inimputável", continua Clotilde, "um agente inconsciente do mal. Que merda de paradigma é este? Além de tudo, é um conto entediante, com personagens aborrecidos, inclusive o Daupin. O Dalgliesh tem mais charme do que Daupin, até o chato do Poirot e o grosseiro Maigret têm mais encanto do que Daupin. Detesto e desprezo esse texto ingênuo, idiota, artificioso, grotesco, simiesco. Poe devia estar bêbado quando o escreveu."

"Então era esse o seu execrável segredo...Você odiava Poe e não tinha coragem de me contar", diz Landers, abatido.

"Não, não é esse o meu segredo."

"Não? Há algo ainda pior, ainda mais horrendo que você possa me dizer?"

"Muito pior."

"Não quero ouvir."

"Ouça a minha história, covarde."

"Preciso de mais champanha."

A garrafa chega. Landers enche as taças.

"A Poe", diz Landers.

"À lucidez", responde Clotilde.

O SEGREDO DE CLOTILDE

"Naquele encontro no trem", diz Clotilde, "você me deu seu livro e eu o li durante a viagem. Fiquei maravilhada. Era um novo Winner, pensei, sim, um novo Winner, os críticos tinham razão, você havia conseguido a façanha de escrever um romance diferente dos outros. Aos quarenta anos, depois de um romance fracassado, deixava para trás as fórmulas que manipulava com grande mestria e criava uma coisa inteiramente nova. Eu devia ter desconfiado de que o homem não era o mesmo. O que foi que você fez com o romance que eu recusei? *O quarto fechado*."

"Queimei."

"Que pena. Não devo tê-lo lido com atenção. Mas na suposição de que *Romance negro* era de Winner tive paciência para superar as estranhezas, as rupturas, as anormalidades, os desusos, as singularidades. Me apaixonei pelo livro. E depois, o mesmo aconteceu com os críticos e com o público."

"Os críticos... Mary McCarthy tem razão: são os maiores inimigos dos leitores."

"No seu caso não. Eles elogiaram, aclamaram, prestaram todos os tributos possíveis ao *Romance negro*."

"Mas se o autor fosse John Landers esses coveiros diriam apenas R.I.P."

"Fui para a cama com você por causa do *Romance negro*. Casei-me com você por causa do *Romance negro*. Você não queria casar comigo, disse, grosseiramente, que se acostumara com os confortáveis prazeres desalinhados que prostitutas e mulheres ocasionais lhe propiciavam e não via um motivo racional para alguém se casar."

"Continuo pensando assim."

"Então por que se casou comigo?"

"Por causa dos seus ossos. Eu só havia encontrado uma mulher tão ossuda assim na minha vida, uma búlgara chamada Sonia, que jogava basquete."

"Por causa dos meus ossos."

"Sim. Por causa do seu esqueleto."

"E minha inteligência? Minha sensibilidade? Minha cultura?"

"Isso vale muito pouco."

"Por que você não casou com a búlgara?"

"Não sei. Talvez ela não quisesse casar comigo. Um professor pobre e meio calvo... Ela possuía bastos cabelos negros descendo pela nuca até o ânus. E as axilas, e o púbis —"

"Chega."

"Bem, agora já contamos nossos segredos. Tenho ainda outros", diz Landers.

"Não, não contei ainda o meu segredo. Detestar Poe não era um segredo, sempre dei a entender que o achava um escritor menor. Meu segredo é outro."

"Basta de heresias. Conta o seu segredo."

"Um dia, na cama, decidimos que nos casaríamos e você perguntou minha idade. Eu disse que tinha, como você, quarenta anos."

"Estou ouvindo."

"Mas eu tinha cinquenta anos."

"Mas eu vi seus papéis, certidões, passaporte."

"Falsifiquei tudo. Me custou uma fortuna. Eu tinha medo que você não se casasse comigo sabendo que eu tinha dez anos mais que você."

"Então você tem cinquenta e dois anos..."

"Você se casaria comigo sabendo que eu tinha dez anos mais?"

"Agora sei por que você parece um lagarto. Nos velhos animais magros como você a pele estica, como nos lagartos de qualquer idade, a pele fica solta sobre os ossos. Mas a sua é suave como papel couché."

"Merda, você se casaria ou não?"

"Sim. Sua idade não me interessa. Por enquanto, pelo menos. E você? Se incomoda de eu ser um assassino?"

"Você disse que o veneno que usou para matar Winner era originalmente destinado a mim. Você teria coragem de me matar?"

"Depois de nos conhecermos, não."

"Era fácil encontrar prostitutas tão magras quanto eu?"

"Era difícil."

"E você, quando as encontrava, lambia e mordia os ossos delas?"

"Tinha vontade mas não tinha coragem. Como disse, temia que me achassem ridículo."

"Nem os ossos da búlgara?"

"Nem os da búlgara. Como disse, tinha medo que rissem de mim."

"Nós mulheres não temos esse medo."

"Tira a roupa."

Clotilde tira a roupa.

"Meu coração está batendo forte", ela diz.

"Estou ouvindo."

Deitam-se.

"Como você está me vendo agora?"

Landers agarra, como quem segura a pele do pescoço de um gato para levantá-lo do chão, a pele complacente do tórax de Clotilde e suspende o seu leve corpo alguns centímetros acima da cama.

"Com novos olhos e novos tatos."

"Preciso ver um lagarto. Nunca vi um, de perto", diz Clotilde.

Enquanto morde o cotovelo de Clotilde, Landers pensa nos seus outros segredos, que ele considera tão terríveis ou ainda mais atrozes do que o desvendado; mas acha conveniente deixar essas revelações para outra oportunidade.

No stand da Grasset as pessoas fazem fila com um exemplar do *Impostor* na mão. Landers apenas escreve no livro, como dedicatória, o nome Winner — um dáblio seguido por uma linha de estreita sinuosidade com um pingo no meio. Alguns escritores aparecem para pedir seu autógrafo. No exemplar de Ellroy, além do nome Winner, Landers escreve HOWL HOWL HOWL, em letras garrafais. Na fila, logo depois de Ellroy, está o homem do cachimbo, de quem Landers zombou durante o debate do dia anterior. O homem tem um ar bovino simpático. Landers decide personalizar o autógrafo.

"Como é o seu nome?", pergunta.

O sujeito hesita.

"Papin... Inspetor Papin", diz o homem. Coloca o cachimbo na boca; morde o tubo onde podem ser vistas marcas de dentes. Sorri.

Papin: whodidie?, escreve Landers.

"Obrigado, mr. Winner", diz Papin, pronunciando o nome de maneira oxítona. Acrescenta: "Vou tentar descobrir, participar da brincadeira. Nós policiais temos tão pouca oportunidade de diversão..."

Olhando bem, Papin lembra a Landers, agora, mais um bulldog do que um boi. Será o modo de o inspetor morder o cachimbo que suscita essa imagem?

"O criminoso está aqui à sua frente", diz Landers.

"Também a vítima?"

"Não dê ouvido aos críticos", diz Landers.

"Mas foi uma observação inteligente, aquela..."

"Apenas astuta."

O sujeito atrás de Papin na fila resmunga. O policial desculpa-se e afasta-se.

Os livros de Winner acabam. Um dos funcionários da editora diz que mandou apanhar outros exemplares numa livraria da cidade, mas Landers responde que a sessão de autógrafos terminou. Pessoas da fila protestam, mas Landers sai da mesa e retira-se do cavernoso salão do festival.

Nesta noite, em vez de ir com Clotilde a um jantar do programa social do festival, ele fica no quarto do hotel, olhando a TV, de onde cortou o som: pessoas gesticulando e abrindo e fechando a boca, arregalando os olhos. Pensa na fama, essa puta cadela. Que diferença faz para ele se sua glória, que o fez merecer uma limusine especial, foi em parte roubada de Winner? Existe uma fama legítima? Ou são todas espúrias? Quando seu livro foi publicado com o nome de Winner pela Grasset e recebido com aclamações, estava ele acrescentando algo à fama de Winner, ou à dele, Landers? Quem é William Shakespeare: Francis Bacon, Christopher Marlowe ou o zé-ninguém William Stanley? Isso interessa a alguém, a não ser a meia dúzia de professores que não têm o que fazer? Homero existiu? Isso tem importância ou é uma questão ridiculamente bizantina? Quem é Winner? Agora é ele. Enquanto for vivo isso poderá ter alguma solerte relevância, ele poderá regozijar-se com a glória. Depois de morto, a imortalidade? Esse ideal doentio?

Que inquietação o faz andar pelo quarto, rejeitar a embriaguez do champanha? Pela primeira vez cogita da hipótese de que, ao matar Winner e apossar-se do seu nome, na verdade ele matou Landers; deixou que Winner se apoderasse dele. Winner, o grande escritor decadente, ficou mais vivo depois de morto. Landers escreve para Winner. Quem se apoderou de quem? O vivo do morto, ou o morto do vivo?

Quando Clotilde chega, ele finge que dorme. Ela deita-se ao seu lado e em pouco tempo Landers ouve a respiração ossuda delicada da mulher. Que maravilha são as mulheres que têm principalmente ossos no corpo! A presença da mulher o ajuda a suportar a noite de febre e pesadelos que o acordam intermitentemente, molhado de suor e angústia. Entre as vigílias e os sonhos aflitivos desenvolve seu plano, que dará mais fama a Winner. Ou dará vida a Landers? Ainda não se decidiu.

De leve toca no ombro de Clotilde.

"Clotilde, acorda, quero te contar meu outro segredo."

O SEGUNDO SEGREDO DE JOHN LANDERS

"Voltemos ao primeiro festival a que compareci, naquele outubro há dois anos, quando matei Winner", diz Landers.

Clotilde senta-se, desperta, no sofá da suíte do hotel.

"Não quero ouvir teu outro segredo, isso está me deixando nervosa", diz Clotilde.

Como sempre, eles falam ora em inglês, ora em francês. Essa alternância depende do grau de eloquência que querem atribuir às respectivas palavras. Ainda que os dois sejam bilíngues, há uma língua preponderante para cada um deles.

"Você me ama?", ele diz.

"Sim, eu te amo. Mas não quero penetrar nas trevas do teu coração."

"Não faça literatura piegas comigo. Além do mais, detesto Conrad", diz Landers. "Ouça. Logo depois que você saiu de perto de mim naquele dia, há dois anos, no Train Noir, para ir ao vagão-restaurante comer —"

"Você não quis ir comigo, disse que não sentia fome e quando me ofereci para trazer qualquer coisa para comer você disse traga champanha."

"Eu disse isso? Nem me lembrava. Enfim, tão logo você saiu um jovem sentou-se no lugar desocupado, ao meu lado, olhou-me nos olhos, colocou a mão no queixo — além de ter o gesto, possuía aquele cabelo revolto do Rimbaud pintado por Fantin-Latour no *Un coin de table* — e sussurrou, em italiano, 'Pete, ainda sou o seu grande amor?'. Sua mão acariciou de leve minha perna. Fiquei paralisado. 'Agradeço seu sacrifício', continuou o rapaz, 'não sabe o quanto eu o amo ainda mais por isso tudo que você está fazendo apenas para atender a um capricho meu.' Veio à minha mente o que Winner me dissera momentos antes que eu o matasse: que ele tinha uma doce razão, entre outras azedas que mencionara, para ir ao festival. E o nome Sandro fora por ele pronunciado. Aquele rapaz ao meu lado devia ser Sandro. Deixei que enfiasse os olhos nos meus, ele parecia gostar de fazer isso, tinha olhos azuis rutilantes, provavelmente Winner lhe dissera que amava seus olhos. Eu disse: 'Sandro, Clotilde Farouche está no trem.' 'Quem é Clotilde Farouche?', ele perguntou. 'A minha editora', respondi, 'eu te falei dela, não falei?, ela é uma bruxa.' 'Ah, sim, aquela vaca', disse ele."

"Você me chamou de bruxa? Ele me chamou de vaca?", protesta Clotilde.

"Eu queria falar o mínimo possível com Sandro, com medo que ele estranhasse qualquer coisa na minha prosódia, com medo que pudesse perceber as disparidades articulares entre a minha fala e a de Winner; a do morto, além do mais, tinha um certo drawl que eu conseguira reproduzir na frente do espelho — tenho um ouvido muito bom para ritmos, como aliás todo bom escritor — mas o meu nervosismo, então, me fazia falar depressa; a suavidade dos erres adquirida na minha infância na Dartmouth Street, onde fui criado pelos meus pais adotivos, perto da Copley Square, ao lado da biblioteca pública que frequentei diariamente até acabar minha triste adolescência, ameaçava me denunciar irremediavelmente. Ninguém conhece a voz do outro tão bem quanto um amante. Sandro falara comigo em italiano e eu respondera em inglês. Talvez Winner soubesse italiano e, nesse caso, por que não responder eu em italiano? Eu não sabia o que fazer. A mão de Sandro subiu carinhosamente na direção da minha virilha, o que me encheu de pânico. 'Você ainda me ama?', perguntou. 'Aqui não', eu disse, 'no hotel, vamos conversar no hotel.' Felizmente nesse momento você chegou com a garrafa de champanha."

"Estou me lembrando", diz Clotilde. "Quando me aproximei, um garoto magro e pálido levantou-se apressadamente da poltrona ao seu lado e eu perguntei a você quem era e você respondeu que era um admirador que fora lhe pedir um autógrafo."

"Sandro não demorou muito a me procurar no meu quarto. 'Nossos planos estão de pé, não estão?', disse ele. Em seguida fechou as cortinas da janela e tirou a roupa com destreza, ficando inteiramente nu. Em menos de vinte e quatro horas eu contemplava o corpo nu de um segundo homem, eu, que nunca vira um homem nu na minha vida. Tirei os olhos da nudez dele como quem afasta os olhos da chama azul de um maçarico. 'O que está esperando?', ouvi Sandro dizer. Ele se aproximou de mim e, antes que eu pudesse me defender, beijou minha boca. Afastei-me como alguém que tivesse sido atingido pelo deslocamento de ar de uma forte explosão. Vi seus olhos azuis transparentes de inocência se encherem de argúcia. 'Por que você não está usando o seu perfume?', ele perguntou. Você sabe, Clotilde, que tenho um nariz péssimo, lembra-se do dia em que comi uma terrine de pâté estragado porque não sentira seu odor mefítico?"

"Eu sei, eu sei. Você vive dizendo que minha vagina não tem cheiro. Que minhas axilas não têm cheiro. Isso no princípio me incomodou um pouco, uma mulher sem cheiro é como uma boneca e temi que você me visse como uma Copélia, você me dissera gostar de Hoffmann e havia algo de mecânico na sua maneira de fazer amor comigo e tudo isso me deixou apreensiva. Mas já passou."

"Não gosto de Hoffmann, nunca lhe disse isso. Gostaria que citasse autores da minha preferência."

"Você só gosta de Poe."

"Não é verdade. Gosto de Baudelaire."

"Vamos voltar à sua narrativa. Sandro acabou de dar um beijo na sua boca e manifestou estranheza por você não estar usando seu perfume."

"O perfume de Winner. Eu não uso perfume."

"Sim, sim. E o olhar infantil dele se encheu de argúcia."

"Olhar juvenil."

"Sim, sim. Olhar juvenil. E depois?"

"Estávamos no meu quarto. Sandro enfiou os olhos azuis nos meus, novamente, e disse: 'Quem é você?'"

"'Você sabe quem eu sou: Peter Winner.'"

"'Tira a roupa', disse Sandro.

"Ao me ouvir dizer que eu não ia tirar a roupa, ele abriu os braços e perguntou 'qual é o problema? quantas vezes você já ficou nu na minha frente?'.

"'Não vou tirar a roupa *agora*, não estou com vontade', eu disse.

"'Tolo, você não é Peter', disse Sandro com voz macia, 'você não fala como ele, não cheira como ele, não beija como ele, não anda como ele; a coisa mais difícil de imitar numa pessoa é a maneira de ela andar, a menos que se trate de um manco ou de um perneta; você não deve saber olhar as pessoas nas ruas, para supor tão ingenuamente que poderia me enganar.'

"Depois dessa lição de observantia, Sandro gritou ameaçadoramente: 'Onde é que Peter está?'

"Procurei acalmá-lo dizendo que Peter não pudera vir e me pedira que viesse no lugar dele. 'Ele queria fazer uma brincadeira com essa gente do congresso, você sabe como é o Peter. Ele me desafiou a enganar você, disse que eu enganaria todo mundo mas não enganaria você. Fizemos uma aposta.'

"'Você perdeu, seu merda', disse Sandro, 'onde é que Peter está?'

"'Em Paris', eu disse, 'ele vai me telefonar hoje à meia-noite, você então fala com ele, que lhe explicará tudo, não se irrite, você está me assustando com esses gritos; olha', continuei, 'eu não queria participar dessa farsa, mas Peter me pediu, depois me desafiou.'

"'Como você conheceu Peter?'

"'Por acaso, em Paris', respondi, 'ele me viu na rua e depois de dizer que éramos muito parecidos e ao saber que eu era um professor desempregado perguntou-me se eu queria ganhar mil dólares. Claro que eu queria ganhar mil dólares e foi assim que cheguei aqui.'

"Sandro me olhou, desconfiado, 'vamos esperar a meia-noite', ele disse, 'esta história toda é muito esquisita'.

"Convidei-o a tomar champanha e Sandro aquiesceu, consultando o relógio, a única vestimenta do seu corpo nu. O champanha chegou, num balde de prata, com duas taças de cristal. Enchi as taças, lentamente. Aguardava uma ocasião propícia para colocar o veneno na taça dele, mas Sandro facilitou as coisas para mim, dizendo que ia ao banheiro. Então pus o veneno em sua taça. Ele voltou do banheiro, sempre nu, bebeu o champanha e morreu. Poupo você de maiores detalhes."

"Você precisava matá-lo?", pergunta Clotilde.

"Ele ia me denunciar, quando a meia-noite chegasse sem telefonema algum. E além disso sua nudez me agredia."

"Você matou um homem apenas porque ele se desnudou na sua frente?"

"Não, não... Sim, também por isso."

"O que você fez com o corpo?"

"Vesti-o com suas roupas — já me acostumara a vestir gente morta — e ensaiei, como se fôssemos dois bailarinos, o modo de transportá-lo para a rua. Ele era frágil, pequeno, pesava apenas uns cinquenta quilos. Passei seu braço direito em torno do meu pescoço, segurei sua mão direita com minha mão esquerda e enlacei-o fortemente pela cintura com meu braço direito, levantando-o um pouco, de maneira que seus pés mal tocavam o chão. Passeei — na verdade, dancei — com ele dentro do quarto, em frente ao espelho. Eu queria que ele parecesse um bêbado sendo conduzido para casa por um amigo dedicado. Quer que eu te mostre como? Põe o braço aqui."

"Não."

"Esperei algumas horas, até pouco antes da madrugada, uma hora morta nos hotéis, em que a portaria está sempre ocupada por funcionários menos competentes. Saí com Sandro, passei pela portaria dizendo ao porteiro sonolento e desinteressado que meu amigo se excedera na bebida. Carreguei o corpo franzino do morto pelas ruas até ficar cansado. Deixei-o sentado numa das cadeiras de calçada, presas à mesa por correntes para que não fossem roubadas, de um bar àquela hora fechado. Tirei todo o dinheiro do seu bolso e o relógio de pulso, do qual me livrei ao voltar para Paris."

"E o corpo não foi achado?"

"Foi. Saiu uma notícia pequena nos jornais, dizendo que Sandro Morelli — esse era seu nome completo — tinha uma ficha criminal de prostituição masculina, furto e outras infrações menores. A polícia voltou sua atenção para pistas falsas, suspeitos inocentes. Mais uma vez eu fora salvo pela estupidez da polícia."

"Não sei o que pensar", diz Clotilde. "Você não me parece um assassino reincidente. Mas sinto que é tudo verdade. E me pergunto, serei a próxima?"

"Deixa eu morder teu joelho", diz Landers, deitando-se de costas no chão.

Clotilde, inteiramente nua, ajoelha-se sobre Landers de forma a que o tórax do homem fique entre suas pernas abertas. Depois levanta um dos joelhos e encosta-o na boca de Landers. Ele morde a rótula de Clotilde, deslocando o osso suavemente. Depois morde o outro joelho.

"Morde minha clavícula", diz Clotilde, curvando-se sobre ele.

"Com mais força. Pobrezinho..."

Na manhã do dia seguinte, quando Landers acorda, Clotilde não está na suíte. Landers telefona pedindo uma garrafa de champanha. Enquanto bebe reflete que Calvino está certo quando sintetiza uma verdade, por todos conhecida, com o axioma: *Quem comanda a narrativa não é a voz, é o ouvido.* Sua ouvinte, sua adorável ossuda Clotilde, entendeu a história que ele contou de maneira pessoal e única. Ele disse uma coisa, ela ouviu outra. Assim é a vida. Assim são as histórias. Beckett tinha quistos no ânus; Luís XIV teve um tumor nesse mesmo orifício durante grande parte da sua longa vida; Landers conhece histórias não só de reis ou poetas, mas também de filósofos, heróis, santos, deusas e outros pobres-diabos cujas células se descontrolaram nessa parte recôndita do corpo. O que isso significa para ele, que sofre de prisão de ventre, não é o mesmo que para Clotilde; esta, logo ao acordar senta-se no vaso sanitário e expele um excremento comprido, grosso, espesso, íntegro, uma única peça de delicado tom marrom-claro que, ao término de sua fácil expulsão, assume a finura de uma ponta de lápis, sem deixar vestígios no esfíncter. Clotilde acredita que ele quer ser descoberto e punido pelo seu crime. Não é verdade, o problema não é de pecado e confissão. É mais complicado.

Depois de beber toda a garrafa de champanha sente sono e volta a dormir. Acorda com batidas na porta, às quatro da tarde. Nota a sala da suíte em desordem, a garrafa no chão, a mesinha virada, o abajur quebrado. Abre a porta, inteiramente nu, supondo que é Clotilde quem bate.

Um homem de barbicha branca e maleta preta, que parece não notar a nudez de Landers, diz, de maneira firme e oxítona: "Boa tarde, monsieur Winner. Posso entrar?"

"Quem é o senhor?"

"Doutor Prévost", diz o homem. Afasta Landers gentilmente e entra na suíte.

"Onde está a Manon?", pergunta Landers.

O doutor Prévost sorri. "Sua mulher já me havia avisado sobre seu senso de humor." Muda de tom: "Como está se sentindo?"

"O que o senhor está fazendo aqui?"

"O senhor mandou me chamar. Minha enfermeira ligou para o hotel confirmando que eu chegaria às quatro horas. Sua esposa atendeu e eu falei pessoalmente com ela. O senhor não tem um pijama, uma coisa qualquer para vestir?"

"Não vou vestir pijama algum nem vou botar a língua para fora para o senhor examinar. Retire-se doutor, ah, Prévost."

"Calma, monsieur Winner. Estou aqui para ajudá-lo."

Landers pega o telefone e liga para a portaria.

"Um louco que se diz chamar doutor Prévost invadiu meu apartamento. Favor mandar alguém para expulsá-lo."

Landers ouve o homem da portaria pigarrear nervoso.

"O doutor Prévost... hum... Ele foi chamado por sua esposa. Ele é um médico muito competente, monsieur Winner, sempre atende nossos clientes em casos como... hum... Muito competente... Não se preocupe. O senhor pode confiar nele."

"Mande uma garrafa de champanha", diz Landers.

"Sim, monsieur Winner."

"Doutor Prévost, tudo isto é um equívoco. Minha mulher deve ter enlouquecido. O senhor pode ir embora. Quanto é que lhe devo?"

"Seu aspecto não é bom, monsieur Winner. Deixe-me ajudá-lo."

"Vá pro inferno", diz Landers em inglês.

"Sugiro que o senhor vista uma roupa e venha comigo", diz o doutor Prévost, também em inglês.

"Se o senhor não se retirar imediatamente eu lhe dou um soco", diz Landers, voltando a falar em francês.

O doutor Prévost, depois de ligeira reflexão, balança a cabeça sabiamente e retira-se.

Landers anda pelo apartamento, pisa nas gravuras emolduradas de vidro que enfeitavam a parede e que agora estão no chão, quebradas.

Clotilde, desgraçada, traidora, você me armou uma armadilha, pensa Landers.

Não tem tempo a perder. Pega o telefone.

"Ligue para a polícia. Quero falar com o inspetor Papin."

Papin não demora muito.

"Aqui é Peter Winner", diz Landers. "O senhor podia vir ao meu hotel?"

"Agora, monsieur Winner? No momento estou muito ocupado."

"Tenho uma confissão a fazer. Um crime de morte. Dois na verdade. Eu matei Peter Winner. Meu nome verdadeiro é John Landers."

"Sim, sim, monsieur Winner, mas agora eu não posso passar aí." Sua voz é delicada e paciente.

"Matei uma outra pessoa."

"Sei, monsieur Winner, o senhor matou também o indivíduo conhecido como Sandro Morelli. Mas agora, como disse, estou muito ocupado. Vamos deixar isso para outro dia. Terei muito prazer em conversar com o senhor. É um dos meus autores favoritos. Hum... Já esteve com o doutor Prévost?"

"Você não passa de um flic imbecil", diz Landers em inglês.

"Como?"

"Você é um cretino, como todos os policiais", diz Landers, agora em francês.

"Daupin também?", diz Papin com ironia.

Landers desliga o telefone. Clotilde, Clotilde, a pérfida, havia contado a história de Sandro para Papin como se fosse mais uma alucinação dele, havia criado aquela desmoralizante e insidiosa trama.

Liga para a portaria. "Onde está o champanha que pedi?"

"Estamos sem champanha no momento, monsieur Winner."

"Mande uma garrafa de brandy então."

"Nossas bebidas alcoólicas acabaram. Podemos mandar uma Perrier."

Landers num acesso de cólera joga o telefone na parede. Depois deita-se, infeliz.

Anoitece. Aos poucos reconhece ser insensata a vontade que domina sua mente de matar Clotilde tão logo a encontre, esganando-a com as próprias mãos. Lembra-se do que Ellroy disse no primeiro dia do festival, referindo-se aos autores de roman noir, "nós somos os continuadores da tragédia grega". Pensa no *Édipo rei*. Ali, também o enigma (da esfinge) não é o essencial, solucionar a charada é apenas resultado de uma cilada do destino para que Édipo, depois de matar o pai, case com a mãe e cometa o outro crime, o mais grave, o do incesto. Freud, o admirador de Conan Doyle, confirma.

O telefone toca.

"Por que você fez isso comigo, Clotilde?"

"Não podia deixar você ser preso. Eu te amo."

"Sou um assassino."

"Não é mais. As pessoas mudam. Você mudou. Quem morreu foi John Landers. Você é Winner, aceite isso como uma imposição do destino."

"Mas você não entende? Pelo amor de Deus, eu quero voltar a ser Landers."

"Agora é tarde", diz Clotilde. "Acabei de falar com Prévost e Papin. Eles estão certos de que você enlouqueceu. Eu disse a Papin que você teve um surto psicótico e está querendo fazer duas confissões falsas, que isso acontece periodicamente com você. Quer saber uma coisa interessante? O assassino de Sandro Morelli está na prisão. Um rufião, que confessou a autoria do crime."

"Fui eu, fui eu", diz Landers desesperado, "você sabe que fui eu que matei Sandro."

"Não sei, não. Sei que te amo. Estou aqui em Paris te esperando. Pegue o trem amanhã e venha para cá. Eu te amo."

"Há ainda o último segredo, o mais terrível de todos, que eu ainda não contei para você."

"Um terceiro segredo?"

A CILADA DOS DEUSES: TERCEIRO E ÚLTIMO SEGREDO DE JOHN LANDERS

"Tão agoniante que se não estivéssemos falando ao telefone talvez me faltasse coragem para contar a você."

"Vem para perto de mim. Estou te esperando."

"É ainda sobre a morte de Winner."

"Mas eu já sei tudo sobre a morte de Winner."

"Não, não sabe. Lembra-se de quando fui aos Estados Unidos no início do ano? Contratei um detetive particular para investigar meu passado. Eu sempre quis saber quem eram meus verdadeiros pais. Alguns filhos adotados amam seus pais postiços, mas eu odiava os dois infelizes que me haviam escolhido para filho. Eu tinha certeza de que o meu pai verdadeiro tinha de ser melhor do que aquele sujeito gordo, patriota e moralista. E que a mulher que havia me gestado em seu ventre não podia ser feia e burra como a minha falsa mãe. O detetive não demorou a descobrir tudo. O meu verdadeiro pai era um pobre-diabo que foi preso várias vezes por pequenos furtos e acabou se matando. Vi o retrato dele, e quero esquecer como era seu rosto. Minha mãe verdadeira ainda estava viva. Pediu dinheiro ao detetive para lhe contar a seguinte história, que vou resumir. Pouco antes de meu pai se matar, ela parira dois filhos gêmeos. Esses dois meninos foram entregues para adoção. Um foi adotado por um casal de nome Landers, de Boston, e o outro por um casal de nome Winner, de Harrodsburg. Você entendeu a tragédia?"

"Não."

"Winner era meu irmão gêmeo."

"Vem para perto de mim, querido, e me conta toda essa história."

"Eu matei meu irmão, você não está entendendo? E, pior do que isso, eu o desprezei e odiei nos breves e únicos momentos em que estivemos juntos."

"Você não sabia... Não se culpe..."

"Não tive nem a inteligência nem a sensibilidade de perceber que ele era meu irmão."

"Também ele não teve. Estou à sua espera, meu amor."

Com as mãos bem perto do bocal do telefone, para que Landers ouça com clareza, Clotilde estala com fragor sensual os ossos dos dedos. Um dos seus mais sedutores e irresistíveis truques.

Enquanto vê, da janela de sua suíte no hotel, os Alpes surgirem com as primeiras luzes do dia, Landers desenvolve um raciocínio estremunhado: toda literatura, vista de uma determinada perspectiva, pode ser considerada "de evasão". Diferente, porém, da evasão sedativa ou alienante da música. Escritores e leitores, por saberem que não são eternos, evadem-se, nietzschianamente, da morte. Quando se lê ficção ou poesia está-se fugindo dos estreitos limites da realidade dos sentidos para uma outra, a que já disseram ser a única realidade existente, a realidade da imaginação. Vem à mente de Landers a história de um idiota que percorria todos os dias as ruas de uma aldeia de pescadores gritando "eu vi a sereia, eu vi a sereia!" e que um dia viu realmente a sereia e ficou mudo. O poeta é como esse bobo da aldeia? Se o confronto com a realidade ofuscar sua imaginação ele também ficará mudo?

Landers imagina Baudelaire, o grande sifilítico, vagando moribundo pelos bordéis de Bruxelas; Poe morrendo de delirium tremens em Baltimore. Eles sabiam que as palavras eram suas inimigas. Pensa nele mesmo, John Landers, condenado a ser o irmão que assassinou.

Veste-se.

Faz frio neste final de outubro e a rue du Quatrième Régiment du Génie, em Grenoble, por onde Landers agora anda, está vazia às seis horas da manhã. Um homem abre a porta de uma peixaria e coloca sobre um extenso balcão, repleto de frutos do mar, um cartaz onde escreveu à mão *les huîtres nouvelles sont arrivées*.

Além das ostras há uma infinidade de conchas de variadas cores, texturas e formas — redondas, piramidais, espiraladas, algumas disformes, umas cheias de estrias, outras lisas como um espelho, todas escondendo cautelosos indivíduos vivos. Há ainda gigantescos caranguejos negros de garras ameaçadoras, cercados de lagostas aberrantes. Habitantes das águas, a lembrar a afirmativa de Bachelard de que essa é a matéria de Poe, uma água especial mais profunda e morta que todos os líquidos abissais que existem.

Estes seres das águas, com sua aparente concretude impenetrável, lhe causam, a princípio, uma sensação de assombro e de impotência. Mas logo percebe que os indícios que aqueles organismos estranhos lhe fornecem não são tão indecifráveis assim. O canto que entoam as sereias e o nome que Aquiles adotou quando se escondeu entre as mulheres são mais misteriosos. Mas, no fim, tudo é conjeturável. A vida tem um valor, que ele, agora, percebe qual é; e a morte, uma densidade absoluta, agora presumível. Sente que atingiu um ponto de equilíbrio, uma sabedoria que não é nem a do poeta nem a do filósofo, mas a do bobo da aldeia depois que viu a sereia.

Romance negro e outras histórias, **1992**

A CARNE E OS OSSOS

Meu avião só partia no dia seguinte. Pela primeira vez lamentei não ter um retrato da minha mãe comigo, mas sempre achei uma idiotice andar com retratos da família no bolso, ainda mais da mãe.

Eu não me incomodava de ficar mais dois dias vagando pelas ruas daquele grande formigueiro sujo, poluído, cheio de gente estranha. Era melhor do que andar por uma cidade pequena com ar puro e caipiras que dizem bom-dia quando cruzam com você. Eu ficaria ali um ano se não tivesse aquele compromisso me esperando.

Andei o dia inteiro respirando monóxido de carbono. À noite meu anfitrião me convidou para jantar. Uma mulher nos acompanhava.

Comemos vermes, o prato mais caro do restaurante. Ao olhar um deles na ponta do garfo, pareceu-me uma espécie de larva ou pupa de berne que ao ser frita perdera os pelos negros e a cor leitosa. Era um verme raro, explicaram-me, extraído de um vegetal. Se fosse um berne a iguaria seria ainda mais cara, respondi, irônico, já tive berne no meu corpo três vezes, dois na perna e um na barriga, e os meus cavalos e os meus cães também tiveram, é difícil tirar ele inteiro, de forma a ser comido frito, somente frito poderia ser saboroso, como estes aqui — e enchi minha boca de vermes.

Depois fomos a um lugar que o meu anfitrião queria me mostrar.

O amplo salão tinha ao centro um corredor por onde mulheres desfilavam nuas, dançando ou fazendo poses. Passamos por entre as mesas, em torno das quais sentavam-se homens engravatados. Pedimos algo ao garçom, depois que nos instalamos. Ao nosso lado uma mulher com apenas um cache-sexe, postada de quatro, esfregava as nádegas no púbis de um homem de paletó e gravata sentado de pernas abertas. Ela exibia uma fisionomia neutra e o homem, um sujeito de uns quarenta anos, parecia tranquilo como se estivesse alojado numa cadeira de barbeiro. O conjunto lembrava uma instalação de arte moderna. Poucos dias antes, em outra cidade, em outro país, eu havia ido a um salão de arte ver um porco morto apodrecer dentro de uma caixa de vidro. Como fiquei poucos dias na cidade, pude apenas ver o animal ficar esverdeado, disseram-me que era uma pena eu não poder contemplar a obra em toda a sua força transcendente, os vermes comendo a carne.

Ali, no cabaré, aquela exibição também me parecia metafísica como a visão do porco morto em seu recipiente de cristal brilhante. A mulher me lembrou, por um curto momento, um sapo gigantesco, porque estava agachada e porque seu rosto, mulato ou índio, tinha algo de anfíbio. Na mesa havia mais três homens, que fingiam não tomar conhecimento dos movimentos da mulher.

Do nosso lugar não podíamos ver tudo o que acontecia no salão. Mas nas mesas em torno de nós havia sempre uma ou duas mulheres atracadas num homem inteiramente vestido. O bilhete de entrada dava direito a que uma das inúmeras mulheres que faziam striptease em vários pontos do salão se esfregasse por algum tempo no portador do ticket de entrada. Havia um padrão coreográfico nas carícias: a mulher punha-se de quatro, roçava as nádegas no púbis do homem que permanecia sentado na cadeira, depois dançava à frente dele. Algumas, mais rebuscadas, subiam em cima do sujeito e prendiam-lhe o rosto no vértice das suas coxas. Depois pegavam o ticket de entrada e afastavam-se.

A única mulher que assistia àquele espetáculo era a nossa acompanhante. O meu anfitrião a chamava de Condessa, não sei se era o nome dela ou o título. Quando era jovem conheci uma mulher que me disse ser uma condessa verdadeira, mas acho que era mentira. De qualquer forma eu chamava a minha companheira de mesa de senhora Condessa, como antigamente eu fazia com a outra. Ela olhava o que acontecia em torno e sorria discretamente, comportava-se como supunha que um adulto deve proceder num circo.

De todos os cantos vinha o som alto de dance music. Para poder falar com a Condessa eu tinha que aproximar minha boca da sua orelha. Eu disse alguma coisa que me distinguia como um observador isento e entediado, esqueci o que foi. Também com a boca quase colada na minha orelha, a Condessa, depois de comentar a atitude de uma mulher perto de nós que esfregava a boceta na cara de um homem de gravata-borboleta, citou em latim a conhecida frase de Terêncio: as coisas humanas não lhe eram alheias, e portanto não a assustavam. E para demonstrar isso balançou o corpo no ritmo do som retumbante e cantou a letra de uma das músicas. Eu a acompanhei, batendo na mesa.

No salão havia um boxe de vidro com chuveiro, fortemente iluminado por spots de luz, no qual as mulheres se revezavam tomando banho. Algumas molhavam e lavavam o corpo inteiro, ensaboavam artelhos, pentelhos, joelhos, cotovelos, cabelos. Outras faziam abluções estilizadas. Elas estão dizendo estou limpa, confie em mim, sussurrou a Condessa no meu ouvido.

Esperamos correr a rifa. O premiado poderia escolher qualquer das mulheres para passar o resto da noite com ele, na palavra do mestre de cerimônias.

Nós, eu e o meu anfitrião, não fomos sorteados. A Condessa não comprara a rifa.

Então ficamos calados, sem cantar e sem bater na mesa acompanhando a música. Pagamos — o anfitrião pagou — e saímos.

Despedimo-nos na calçada em frente ao bar. A Condessa se ofereceu para me levar ao hotel. O anfitrião também. Eu disse que queria andar um pouco, as grandes cidades são muito bonitas ao amanhecer.

Eu já caminhava havia uns dez minutos, lastimando não ter uma foto da minha mãe no bolso, nem num álbum, nem em nenhuma gaveta, quando o carro da Condessa parou ao meu lado.

Entra, ela disse, estou sentindo vontade de chorar e não quero chorar sozinha.

Ao chegarmos ao hotel havia um recado do meu irmão. Liguei para ele do quarto. A Condessa ouviu a conversa com meu irmão. Sinto muito, ela disse, sentando-se na cama, cobrindo o rosto com as mãos, mas não estou chorando por você, estou chorando por mim.

Deitei na cama e olhei para o teto. Ela deitou-se ao meu lado. Encostou o rosto úmido no meu e disse que foder era uma maneira de celebrar a vida. Fodemos em silêncio e depois tomamos banho juntos, ela imitou uma das mulheres do cabaré se lavando e cantando e eu a acompanhei batendo nas paredes do boxe do chuveiro. Ela disse que estava se sentindo melhor e eu disse que estava me sentindo melhor.

Peguei o avião.

Nove horas e meia depois cheguei ao hospital.

O corpo de minha mãe estava na capela, dentro de um caixão coberto de flores, sobre um catafalco. Meu irmão fumava ao lado. Não havia mais ninguém.

Ela perguntava muito por você, disse o meu irmão, então me aproximei dela e disse que eu era você, ela segurou na minha mão com força, disse o seu nome e morreu.

No jazigo da família já estavam os restos do meu pai e do meu irmão. Um funcionário do cemitério disse que alguém teria que assistir à exumação. Eu fui. Meu irmão parecia mais cansado do que eu.

Eram quatro exumadores. Abriram a campa de mármore rosa e arrebentaram com martelos a placa de cimento que fechava a sepultura. O jazigo era dividido em dois por uma laje. Um dos coveiros entrou dentro do buraco aberto, com cuidado para não pisar nos restos do meu irmão, na parte superior. As roupas do meu irmão estavam em bom estado. Ele tinha bons dentes, os molares obturados com ouro. Quando a cabeça foi retirada o maxilar inferior se desprendeu do resto do crânio. O fêmur e a tíbia estavam mais ou menos inteiros; as costelas pareciam de papelão pardo.

Os ossos foram jogados pelo coveiro numa caixa de plástico branco ao lado da sepultura. Três baratas e uma lacraia vermelha subiram pelas paredes, a lacraia parecia mais veloz do que as baratas, mas as baratas sumiram primeiro. Eu disse em voz alta que a lacraia era venenosa. O coveiro, ou que nome tivesse, não deu importância ao que eu dissera.

Logo que os restos do meu irmão foram colocados na caixa de plástico, o nome dele foi escrito em letras grandes na tampa. Um dos homens entrou na sepultura e arrebentou com marreta e formão a laje que fechava a parte inferior onde se encontravam os restos do meu pai, que morrera dois anos antes do meu irmão. O exumador voltou a entrar na sepultura. Os ossos do meu pai estavam em pior estado que os do meu irmão, alguns tão pulverizados que pareciam terra. Tudo foi jogado dentro de outra caixa plástica, misturado com restos de tecido, as roupas do meu pai não eram tão boas como as do meu irmão e haviam apodrecido tanto quanto os ossos. Do crânio do meu pai só restara a dentadura postiça; o acrílico vermelho da dentadura brilhava mais do que a lacraia.

Dei uma boa gorjeta para os sujeitos. As duas caixas foram colocadas ao lado da sepultura.

Voltei para a capela.

Meu irmão fumava olhando pela janela o trânsito lá fora.

Um padre apareceu e rezou.

O caixão fechado foi colocado numa carreta. Seguimos, eu e o meu irmão, a carreta empurrada pelo coveiro até a sepultura aberta. O caixão da minha mãe foi colocado na parte inferior. Uma laje foi cimentada, deixando a parte superior vazia, à espera do futuro ocupante. Sobre essa laje foram provisoriamente depositadas as duas caixas com os restos do meu pai e do meu irmão. A campa de mármore rosa com os nomes dos dois, gravados em bronze, fechou a sepultura.

Devem ter roubado as obturações de ouro dos dentes do meu irmão enquanto fui à capela apanhar a minha mãe, pensei. Mas estava muito cansado para comentar isso. Caminhamos em silêncio até a porta do cemitério. Meu irmão me deu um abraço. Quer uma carona?, perguntou. Eu disse que ia caminhar um pouco. Olhei o carro dele se afastar. Fiquei ali, em pé, até escurecer.

O buraco na parede, 1995

Betsy

Betsy esperou a volta do homem para morrer. Antes da viagem ele notara que Betsy mostrava um apetite incomum. Depois surgiram outros sintomas, ingestão excessiva de água, incontinência urinária. O único problema de Betsy até então era a catarata numa das vistas. Ela não gostava de sair, mas antes da viagem entrara inesperadamente com ele no elevador e os dois passearam no calçadão da praia, algo que ela nunca fizera.

No dia em que o homem chegou, Betsy teve o derrame e ficou sem comer. Vinte dias sem comer, deitada na cama com o homem. Os especialistas consultados disseram que não havia nada a fazer. Betsy só saía da cama para beber água.

O homem permaneceu com Betsy na cama durante toda a sua agonia, acariciando o seu corpo, sentindo com tristeza a magreza das suas ancas. No último dia, Betsy, muito quieta, os olhos azuis abertos, fitou o homem com o mesmo olhar de sempre, que indicava o conforto e o prazer produzidos pela presença e pelos carinhos dele. Começou a tremer e ele a abraçou com mais força. Sentindo que os membros dela estavam frios, o homem arranjou para Betsy uma posição confortável na cama. Então ela estendeu o corpo, parecendo se espreguiçar, e virou a cabeça para trás, num gesto cheio de langor. Depois esticou o corpo ainda mais e suspirou, uma exalação forte. O homem pensou que Betsy havia morrido. Mas alguns segundos depois ela emitiu outro suspiro. Horrorizado com sua meticulosa atenção o homem contou, um a um, todos os suspiros de Betsy. Com o intervalo de alguns segundos ela exalou nove suspiros iguais, a língua para fora, pendendo do lado da boca. Logo ela passou a golpear a barriga com os dois pés juntos, como fazia ocasionalmente, apenas com mais violência. Em seguida, ficou imóvel. O homem passou a mão de leve no corpo de Betsy. Ela se espreguiçou e alongou os membros pela última vez. Estava morta. Agora, o homem sabia, ela estava morta.

A noite inteira o homem passou acordado ao lado de Betsy, afagando-a de leve, em silêncio, sem saber o que dizer. Eles haviam vivido juntos dezoito anos.

De manhã, ele a deixou na cama e foi até a cozinha e preparou um café puro. Foi tomar o café na sala. A casa nunca estivera tão vazia e triste.

Felizmente o homem não jogara fora a caixa de papelão do liquidificador. Voltou para o quarto. Cuidadosamente, colocou o corpo de Betsy dentro da caixa. Com a caixa debaixo do braço caminhou para a porta. Antes de abri-la e sair, enxugou os olhos. Não queria que o vissem assim.

Histórias de amor, **1997**

Cidade de Deus

O nome dele é João Romeiro, mas é conhecido como Zinho na Cidade de Deus, uma favela em Jacarepaguá, onde comanda o tráfico de drogas. Ela é Soraia Gonçalves, uma mulher dócil e calada. Soraia soube que Zinho era traficante dois meses depois de estarem morando juntos num condomínio de classe média alta da Barra da Tijuca. Você se importa?, Zinho perguntou, e ela respondeu que havia tido na vida dela um homem metido a direito que não passava de um canalha. No condomínio Zinho é conhecido como vendedor de uma firma de importação. Quando chega uma partida grande de droga na favela, Zinho some durante alguns dias. Para justificar sua ausência Soraia diz, para as vizinhas que encontra no playground ou na piscina, que o marido está viajando pela firma. A polícia anda atrás dele, mas sabe apenas o seu apelido, e que ele é branco. Zinho nunca foi preso.

Hoje à noite Zinho chegou em casa depois de passar três dias distribuindo, pelos seus pontos, cocaína enviada pelo seu fornecedor em Puerto Suarez e maconha que veio de Pernambuco. Foram para a cama. Zinho era rápido e rude e depois de foder a mulher virava as costas para ela e dormia. Soraia era calada e sem iniciativa, mas Zinho queria ela assim, gostava de ser obedecido na cama como era obedecido na Cidade de Deus.

"Antes de você dormir posso te perguntar uma coisa?"

"Pergunta logo, estou cansado e quero dormir, amorzinho."

"Você seria capaz de matar uma pessoa por mim?"

"Amorzinho, eu mato um cara porque ele me roubou cinco gramas, não vou matar um sujeito que você pediu? Diz quem é o cara. É aqui do condomínio?"

"Não."

"De onde é?"

"Mora na Taquara."

"O que foi que ele te fez?"

"Nada. Ele é um menino de sete anos. Você já matou um menino de sete anos?"

"Já mandei furar a bala as palmas das mãos de dois merdinhas que sumiram com uns papelotes, pra servir de exemplo, mas acho que eles tinham dez anos. Por que você quer matar um moleque de sete anos?"

"Para fazer a mãe dele sofrer. Ela me humilhou. Tirou o meu namorado, fez pouco de mim, dizia para todo mundo que eu era burra. Depois casou com ele. Ela é loura, tem olhos azuis e se acha o máximo."

"Você quer se vingar porque ela tirou o seu namorado? Você ainda gosta desse puto, é isso?"

"Gosto só de você, Zinho, você é tudo para mim. Esse merda do Rodrigo não vale nada, só sinto desprezo por ele. Quero fazer a mulher sofrer porque ela me humilhou, me chamou de burra na frente dos outros."

"Posso matar esse puto."

"Ela nem gosta dele. Quero fazer essa mulher sofrer muito. Morte de filho deixa a mãe desesperada."

"Está bem. Você sabe onde o menino mora?"

"Sei."

"Vou mandar pegar o moleque e levar para a Cidade de Deus."

"Mas não faz o garoto padecer muito."

"Se essa puta souber que o filho morreu sofrendo é melhor, não é? Me dá o endereço. Amanhã mando fazer o serviço, a Taquara é perto da minha base."

De manhã bem cedo Zinho saiu de carro e foi para a Cidade de Deus. Ficou fora dois dias. Quando voltou, levou Soraia para a cama e ela docilmente obedeceu a todas as suas ordens. Antes de ele dormir, ela perguntou, "você fez aquilo que eu pedi?"

"Faço o que prometo, amorzinho. Mandei meu pessoal pegar o menino quando ele ia para o colégio e levar para a Cidade de Deus. De madrugada quebraram os braços e as pernas do moleque, estrangularam, cortaram ele todo e depois jogaram na porta da casa da mãe. Esquece essa merda, não quero mais ouvir falar nesse assunto", disse Zinho.

"Sim, eu já esqueci."

Zinho virou as costas para Soraia e dormiu. Zinho tinha um sono pesado. Soraia ficou acordada ouvindo Zinho roncar. Depois levantou-se e pegou um retrato de Rodrigo que mantinha escondido num lugar que Zinho nunca descobriria. Sempre que Soraia olhava o retrato do antigo namorado, durante aqueles anos todos, seus olhos se enchiam de lágrimas. Mas nesse dia as lágrimas foram mais abundantes.

"Amor da minha vida", ela disse, apertando o retrato de Rodrigo de encontro ao seu coração sobressaltado.

Histórias de amor, **1997**

AA

Chamei o meu capataz Zé do Carmo e disse a ele que ia a Corumbá buscar de avião a tal doutora doida protetora dos animais, que ela talvez fizesse muitas perguntas sobre a maneira como nós tratávamos os bichos na fazenda, que ele e os peões podiam falar o que quisessem, menos mencionar o AA, quem abrisse o bico sobre o AA estava ferrado comigo. Pode ficar tranquilo, seu Guilherme, ordem sua nós cumprimos à risca. E cumpriam mesmo, não havia melhor patrão do que eu em todo o Pantanal. E os tatus?, Zé do Carmo perguntou, ela vai implicar com os tatus?

Acho que não, ela deve gostar mais de cavalo do que de tatu.

Eu havia mandado buscar um monte de livros, que colocara na estante do quarto onde a doutora ia ficar, no lugar dos livros sobre bois e cavalos, e CDs e vídeos para o equipamento eletrônico que podia ser acionado da mesinha de cabeceira. Música e vídeo não foi problema, pedi ao Bulhões, meu advogado em São Paulo, que comprasse óperas e sinfonias, eu sei do que essas sebosas gostam, e também clássicos do cinema. O problema foram os livros. Que livros?, perguntou o Bulhões. Sei lá, respondi. Que tipo de mulher ela é? Só pode ser uma velhota virgem de óculos, respondi. Vou comprar o tipo de livro que a minha mãe lê, disse o Bulhões. Sua mãe não é virgem nem velhota, eu disse. Ele reclamou, que é isso, ô cara, mais respeito com a minha mãe.

Antes de pegar o avião falei pelo rádio com o meu vizinho e amigo Janjão de Oliveira, a casa dele está a cem quilômetros da minha, mas é a mais próxima, por isso eu o chamo de vizinho.

Janjão, eu disse, estou indo apanhar no aeroporto em Corumbá a tal doutora Suzana, a mulherzinha da ONG que defende os direitos dos animais, já falamos sobre ela, lembra?, é a idiota que fez aquela cruzada para acabar com os rodeios no Brasil, porra, nem nos Estados Unidos eles conseguiram acabar com o rodeio e essa bestalhona quer acabar com o rodeio em Barretos. Não sei quantos dias ela vai ficar na fazenda, o ministro pediu para recebê-la, não sei o que ela quer aqui, mas a minha preocupação é com o AA. Se você ou algum dos seus homens aparecerem por aqui, é bom tomar cuidado. Já dei instruções ao meu pessoal sobre isso, por favor faça o mesmo.

Já disse que esperava uma mulher feia de óculos, uma daquelas donas frustradas que não encontram homem e se engajam numa cruzada. Óculos a doutora Suzana usava, mas era uma trintona atraente, a boca um pouco grande, os dentes bonitos e o sorriso simpático e a voz um pouco rouca, mas eu já encontrei mulheres assim que não valiam nada e não caí nessa. Carregava apenas uma mala, não muito grande, que eu peguei, tinha de bancar o gentil.

Vamos?, eu disse quando saímos do setor comercial do aeroporto e chegamos ao lado do meu Lear Jet.

E o piloto?, ela perguntou.

Eu sou o piloto, respondi, mas não se preocupe, meu primeiro avião eu pilotei quando tinha 15 anos.

Não estou preocupada. Porém não era ilegal isso, pilotar um avião com 15 anos de idade?

Ela gostava de fazer perguntas, isso eu já esperava. Aqui não, respondi.

Ela insistiu, por que não, é porque estamos no Brasil? Eu fingi que não ouvi.

Tive vontade durante a viagem de fazer uns loopings e deixar a dona apavorada, mas aprendi há muito tempo que a gente não pode fazer tudo o que gosta.

O ministro me pediu para recebê-la, sem me dizer o motivo de sua visita. Acrescentei, fingindo de bobo: a senhora quer conhecer o Pantanal?

Ela hesitou. Mas não só isso, respondeu.

Fizemos o resto da viagem em silêncio.

Quando chegamos levei-a à suíte que reservara para ela, a melhor suíte da fazenda. Expliquei para a doutora Suzana como funcionavam o vídeo e o equipamento de som. Os livros de tão novos pareciam querer pular da estante, droga, eu devia ter mandado comprar aquela merda num sebo.

Não temos telefone, mas possuímos uma transmissora de rádio que permite o nosso contato com qualquer lugar do Brasil, é só a senhora dizer com quem quer se comunicar.

Enquanto eu falava ela examinava os livros na estante, e pareceu-me que um leve sorriso mexia com os seus lábios.

Muito obrigada, ela disse, vejo que o senhor teve muito trabalho...

Trabalho nenhum, eu tenho bons tropeiros...

Deixei a doutora no quarto e fui para a varanda rever o programa que fizera. Passeios a cavalo, para os micuins acabarem com ela. Pescaria na parte mais infestada do rio, para os mosquitos darem o tiro de misericórdia. Estava imerso nesses pensamentos belicosos quando Suzana apareceu na varanda e sentou-se ao meu lado. Mas ficamos calados, eu não sabia o que dizer e ela também parecia não saber o que dizer. Notei que ela me observava, o que me deixou inquieto.

Um avião circulou o campo de pouso. Reconheci o avião de Janjão. Ele era um danado de curioso, na certa queria saber como era a doutora. Zé do Carmo, que também vira o avião, surgiu ao volante de um jipe, em frente à varanda. Vou apanhar o seu Janjão, ele gritou. Fiz um gesto confirmando.

Vocês têm uma pista de aterrissagem na fazenda?, perguntou a doutora.

Fica a uns cinco quilômetros daqui, expliquei. Aquele é o avião do Janjão.

Aqui todo mundo tem avião?

Os que podem têm. As distâncias são muito grandes. Janjão era o melhor amigo do meu pai. Ele morreu há uns cinco anos, meu pai. Depois que ele morreu, eu não saí mais daqui. Eu viajava todos os anos, Austrália, França, Inglaterra...

E sua mãe?

Morreu de parto; eu não a conheci, só de retrato...

Sinto muito...

Quem nunca teve mãe não sente falta dela.

Às vezes quem tem também não sente, disse a doutora, mas eu não entendi bem o que ela queria dizer com isso.

Nesse momento vi Janjão e Rafael saltarem do carro. Puta merda, o Rafael! Se o Janjão estivesse acompanhado do capeta não seria pior. Corri ao encontro deles.

Rafael, dá a volta e vai direto para a casa do Zé do Carmo e me espera lá, murmurei entredentes, irritado. Depois, me certificando sem olhar que Rafael seguia a ordem que eu lhe dera, peguei Janjão pelo braço e levei-o ao encontro da doutora. Este é o grande Janjão, eu disse com falso bom humor, na verdade eu estava puto com o Janjão.

Janjão, que ficara um pouco confuso com a minha reação na chegada, disse, doutora Suzana, é um prazer conhecê-la, como é que o Guilherme está tratando a senhora?

Suzana sorriu apenas. Sentamo-nos ao lado dela.

Eu soube que o senhor era o melhor amigo do pai do senhor Guilherme.

Por favor, nada de senhor, pedi.

Carreguei esse menino no colo, é como se fosse um filho para mim, ele teve a felicidade de nascer e crescer aqui no Pantanal. E Janjão desandou a falar do Pantanal, a maior planície inundável do planeta, 240 mil quilômetros quadrados, aqui era um mar, dizia ele, que começou a secar há 65 milhões de anos, o lar da mais rica coleção de pássaros, mamíferos e répteis do mundo, e eu pedi licença dizendo que tinha de providenciar umas coisas e corri até a casa de Zé do Carmo.

Rafael estava lá, sentado na sala, tomando um café com o Zé do Carmo.

Puta merda, Rafael, quem mandou você vir aqui?

Rafael, que já estava nervoso, ficou ainda mais.

Foi seu Janjão, ele disse, ele me mandou vir com ele, o que eu podia fazer, dizer não vou? Peguei o avião e vim com ele, o senhor desculpe, mas se está havendo algum bolo eu não tenho culpa.

Você não sai daqui da casa do Zé do Carmo até segunda ordem, ouviu?

Sim, senhor.

O Zé do Carmo vai buscar a sua roupa lá no quarto da casa grande onde você costuma ficar, e traz para você. Rafael não sai daqui até eu mandar. Come, dorme, faz tudo aqui.

Sim, patrão, disse Zé do Carmo.

Não saio não, senhor, disse Rafael.

Quando voltei para a varanda Janjão falava de papagaios, tucanos, periquitos, jaburus, capivaras, tamanduás, quatis, ocelotes, panteras negras, onças-pintadas, ariranhas, preguiças, macacos, cervos, tapires, cutias, queixadas, jacarés, peixes de couro, dourados... Como disse o Janjão, eu nasci e cresci aqui e estava cansado de saber aquilo tudo. Novamente pedi licença e fui tomar banho.

Jantamos os três, a doutora, Janjão e eu. Ela era mesmo problemática, não comia carne e o jantar era basicamente de carne, carne de tatu, carne de vaca, frango, porra, nós éramos fazendeiros do Pantanal, íamos comer o quê?

Nem carne de tatu a senhora come?, perguntou Janjão. Tatu não está em extinção... Eu me interesso por eles, sou fascinado por aquela carapaça de placas ósseas, a senhora sabia que alguns se enroscam e viram uma bola? É um mamífero, reconheço, mas nem todo mamífero tem carne vermelha, a baleia, por exemplo, a senhora come carne de baleia, não come?

Não, respondeu a doutora muito séria. E a carne desses seres de sangue quente não é igual à da baleia. Provavelmente é mais um animal que a fúria predatória dos homens está extinguindo.

Silêncio e falta de apetite tomaram conta da mesa. Janjão sentia-se ofendido, afinal ele fundara várias associações ecológicas na região, que buscavam impedir a pesca e a caça predatórias. E como todo fazendeiro do Pantanal, orgulhava-se de ter uma relação harmônica com a natureza.

A senhora é doutora em quê?, perguntou Janjão.

Medicina, disse a doutora, mas exerci a profissão por pouco tempo. Sou muito tensa para ser médica.

Ela estava nervosa. Os tatus são aparentados das preguiças e dos tamanduás, não é engraçado isso?, eu disse, tentando aliviar o ambiente, a senhora já viu uma preguiça? Não, ela nunca tinha visto uma preguiça e não estava muito interessada em ver.

O jantar foi, portanto, um fracasso. O Janjão não estava muito acostumado a lidar com mulheres daquele tipo, e para falar a verdade nem eu. A doutora também não comia sobremesa e a ambrosia, os pudins, quindins, tortas, os doces de laranja e de goiaba que haviam sido feitos especialmente para ela voltaram para a cozinha sem serem tocados.

Estou cansada, se vocês me dão licença acho que vou dormir, ela disse, levantando-se da mesa. Nós também nos levantamos, como dois cavalheiros.

Está vendo, Janjão, eu disse quando estávamos a sós tomando um uísque, a mulher é uma pentelha, ela só está aqui porque o ministro pediu, já imaginou se ela sabe do AA?

Não quero nem pensar o que essa harpia pode fazer.

E ainda por cima você trouxe o Rafael. Onde estava sua cabeça? Eu tinha te alertado.

Bobeei, Guilherme, disse ele constrangido. Amanhã vou embora cedinho, vou levar o Rafa comigo.

O dia mal raiava quando ouvi o ronco do motor do avião do meu padrinho, esqueci de dizer que o Janjão era meu padrinho, indo embora, e aquilo me deu um grande alívio.

Tomei o café da manhã com a doutora e a cara dela estava melhor, mas isso não queria dizer nada de bom e eu continuei em guarda.

Afinal a senhora não me disse exatamente o que... Faltaram-me as palavras.

O que vim fazer aqui? Ela pareceu pensar um pouco, e quando falou foi sem muita segurança, via-se que não estava acostumada a mentir.

Faço parte de uma ONG, e estamos interessados em verificar como os fazendeiros tratam os animais aqui no Pantanal.

Os tatus fazem buracos no chão e os cavalos pisam no buraco e quebram a perna, eu disse, nós matamos os tatus, mas comemos, também matamos os perus, essa iguaria natalina. Esse é o único crime ecológico que cometemos, eu disse rindo. De qualquer maneira vou ver se há algum jeito de tapar os buracos que eles abrem no chão.

Não quero falar mais sobre isso, ela disse.

Ficamos em silêncio um tempo que parecia infindável. O perfil dela era muito bonito, tenho de reconhecer.

Foi a doutora quem cortou o silêncio.

Estou escrevendo também um artigo sobre os costumes do Pantanal para uma revista — ela hesitou ainda mais, mentir é uma arte de poucos — e gostaria de poder falar com os peões, as mulheres, os filhos deles.

Foi a minha vez de mentir. Esse pessoal é muito desconfiado, eu disse, eles não gostam de falar com estranhos, mas vou ver o que posso fazer. A senhora sabe montar? Vamos dar um passeio a cavalo? Há lugares lindos por aqui.

Ela topou o passeio. Eu disse que ia mandar selar um bom manga-larga para ela. Ela respondeu que podia ser qualquer cavalo, que ela montava bem.

Fui encontrar Zé do Carmo na estrebaria.

Zé do Carmo, diz aos peões que ninguém da família deles pode falar com a doutora, principalmente as crianças. Explica o negócio do AA. E sela um marchador para ela e a Zigena para mim, vamos dar um passeio a cavalo.

Quando íamos começar o passeio Zé do Carmo apareceu correndo com um frasco de repelente dizendo que era melhor a doutora passar aquilo na pele devido aos insetos. Ou seja, meu plano não ia funcionar.

O passeio demorou grande parte da manhã. Sou forçado a confessar que a minha irritação com a doutora estava passando, até achei bom o Zé do Carmo ter se lembrado do repelente. E quando voltamos para a fazenda, o almoço foi muito agradável. Ela só fazia perguntas inocentes, como por que o meu cavalo se chamava Zigena, e eu expliquei que o meu cavalo era uma égua, que os equinos, à medida que nascem, vão recebendo do criador nomes com iniciais que seguem a ordem do alfabeto, e que nome feminino iniciado por Z não é fácil e eu já tinha uma Zígnia e uma Zíngara e que Zigena significava uma espécie de mariposa.

E os passeios a cavalo e os passeios no rio nos dias seguintes foram ainda mais prazerosos, eu lhe dizia os nomes dos animais, pássaros e árvores e flores que avistávamos em nosso caminho, e mostrei-lhe na beira do rio os jaburus, também chamados de tuiuius, com o seu longo bico negro, a ave pescadora que simboliza o Pantanal. Tomávamos o café da manhã e almoçávamos e jantávamos juntos todos os dias e eu queria estar com ela o tempo inteiro. E acordávamos cedo para ver o sol nascer e esperávamos o fim da tarde para assistir ao pôr do sol, e não há nada mais bonito no mundo, até um ateu vendo a aurora no Pantanal acredita na existência de Deus. A presença de Suzana me dava uma sensação estranha, que eu nunca havia sentido, as mulheres entravam e saíam rapidamente da minha vida, aquilo era uma coisa nova, aquele sentimento de gostar de ter a mesma mulher perto de mim o tempo todo. De repente eu me vi falando da minha vida, das minhas viagens, da minha visita à Austrália com o meu pai, que fora ver as fazendas de gado, quando eu tinha 16 anos, a primeira vez que eu tive contato com o AA, mas essa parte eu não contei para ela, nem contei que foi o AA que me levou a Inglaterra, França e Estados Unidos. Ela falou da vida dela, disse que era uma mulher de recursos e que quando deixara de exercer a medicina, profissão que escolhera por acreditar que assim poderia ser útil ao seu semelhante, descobrira que poderia fazer isso de outra forma, ajudando as pessoas a terem seus direitos respeitados.

Nesse momento, Suzana calou-se, de maneira inesperada. Percebi alguma coisa em seu rosto que me deixou preocupado; ela me pareceu ter ficado subitamente infeliz e cansada.

Para quebrar o silêncio, fiz uma pergunta desastrada: E os animais? E o rodeio?

Devo confessar uma coisa a você. Meu nome foi muito divulgado naquele episódio, mas eu apenas estava ajudando uma amiga minha que dirige uma organização de proteção dos animais, e me envolvi demais e o meu nome apareceu nos jornais. Meu interesse é outro. Direitos humanos é o meu campo de ação. Menti para você. Eu vim aqui porque tive informações de que nessa região se pratica uma forma odiosa, sádica, de abuso contra pessoas indefesas. Mas sinto em meu coração que se esse crime é cometido nesta região, você não participa diretamente dele.

Abuso sádico?, eu disse, sentindo que a minha voz tremia.

Ela me olhou com uma certa tristeza. Você tem alguma coisa a me dizer?, perguntou, mais baixo e mais rouco do que o normal.

Não sei do que você está falando.

Eu vi aquele... homem que chegou aqui com o senhor Janjão, no outro dia.

Por favor, eu supliquei, segurando na mão dela.

Eu é que digo por favor, Guilherme, ela disse, apertando a minha mão, me conta tudo, eu preciso que você me diga a verdade. Eu vi você mandando aquele... homem se esconder na casa do capataz.

Eu não o mandei se esconder na casa do capataz, disse apenas para ele ir para a casa do capataz.

Dá no mesmo, você não queria que eu o visse, e tendo-o visto não queria que eu falasse com ele.

Não estou entendendo por que você está criando todo esse caso.

Anda, diz o que aquele anão estava fazendo aqui!, ela gritou. Eu sei que ele faz parte dessa competição repugnante que vocês realizam todos os anos, um jogo nojento conhecido como Arremesso de Anão!

Eu comecei a me defender, nós pagamos a eles, pagamos bem, o Rafael era homem-bala no circo, enfiavam ele na boca de um canhão e disparavam, ele podia morrer ganhando uma miséria, agora a vida dele é muito melhor.

Mas Suzana não me deixou terminar, levantou-se abruptamente e saiu correndo da varanda, nem tive tempo de dizer que o Rafael nem mesmo era arremessado, agora ele era o agente que contratava os outros anões para serem arremessados, e não tive tempo de perguntar o que havia de sádico nisso, os anões se empenhavam para participar da competição, usavam proteção nos joelhos e nos cotovelos e capacetes na cabeça, ganhavam mais do que um anão trabalhando num circo ou vestido de rato Mickey na Disneyworld, e quando um deles se machucava nós cuidávamos dele e pagávamos um bônus tão alto que muitos almejavam se ferir durante a competição para recebê-lo. Mas ela saiu correndo, e quando me refiz fui atrás dela, mas Suzana estava trancada no quarto.

Bati na porta, por favor, me deixe entrar, quero explicar tudo para você.

Não quero explicações, vá embora, ouvi ela dizer com voz chorosa.

Fui para o rádio e entrei em contato com o Janjão.

Janjão, ela sabe de tudo, eu disse.

Que merda, ele disse.

A merda pior é que eu estou apaixonado por ela e vou cancelar a competição.

Você está maluco? O Arremesso de Anão está marcado para daqui a 15 dias, estão vindo os campeões da Austrália, dos Estados Unidos, da França. O Jimmy Leonard, vencedor absoluto do British Dwarf Throwing Championship já confirmou presença, e vem também aquele australiano recordista mundial que arremessou um anão de quarenta quilos a trinta pés de distância, está tudo organizado, pelo amor de Deus, não podemos cancelar a competição agora. Amanhã passo aí para conversarmos, hoje eu não posso, mas amanhã chego aí depois do almoço, não faça nada antes de conversarmos.

Suzana não apareceu para jantar. Eu estava sem fome, meu coração pesado, e fiquei bebendo na sala, sozinho, e quanto mais eu bebia mais a minha cabeça se embaralhava. Direitos humanos... Um direito humano do anão é usar o seu corpo para ser arremessado à distância por alguns esportistas, antigamente os anões eram arremessados como brincadeira por bêbados nas portas dos bares, mas agora eles participavam de um esporte no qual eram os que mais ganhavam, inclusive os que mais adquiriam fama, Lenny, o Gigante, o anão inglês arremessado na final do campeonato britânico de Arremesso de Anão, era mais famoso do que o campeão Jimmy Leonard, os anões querem ter assegurado o direito de trabalhar, um boxeur tem o direito de ir para dentro do ringue levar socos e alguns morrem das pancadas, Muhammad Ali ficou inválido de tanto apanhar, isso a televisão mostra e ninguém pensa em proibir, e algum anão morreu ou ficou aleijado?, não, nunca, mas de toda forma fazemos o seguro de acidente e de morte... Está errado os outros decidirem como você vai usar o seu corpo, o seu útero, boa ideia, eu tinha de falar com Suzana do direito de dispor do próprio útero, ela era mulher e esse era um bom gancho, temos direito constitucional sobre o nosso corpo, podemos fazer dele o que bem entendermos... E os anões queriam ser arremessados, ganhavam bem para isso e não eram humilhados, e o Arremesso de Anão não aumentava o desprezo que as pessoas sentem pelos anões, esses liberais chorões hipócritas deixam os anões se cobrirem de ridículo nos espetáculos teatrais e levam as crianças para aprenderem a desprezar os anões no circo, isso sim é que devia ser proibido, mas não, querem tornar fora da lei o Arremesso de Anão no mundo inteiro, uma atividade esportiva e cultural que não afeta negativamente o bem-estar, a saúde, a dignidade dos anões arremessados... Porra, o Rafael estava vivo mas podia ter morrido como homem-bala e tinha cinco filhos.

Acordei com Suzana em pé ao meu lado, me olhando com o olhar intenso dela, me pareceu, ou então era a ressaca que me fazia ver coisas, que algo no seu rosto dizia que ela também me amava.

O senhor está em condições de me levar a Corumbá?

Claro, eu disse, levantando-me do sofá.

Durante a viagem eu falei sozinho, expliquei como via o Arremesso de Anão, fazendo a ressalva de que não estava tentando persuadi-la de nenhuma forma, disse que faria tudo para impedir que o esporte se desenvolvesse, aquele era o último campeonato do qual eu participava, eu não podia fugir, estariam presentes os grandes campeões do mundo e eu seria o único no hemisfério Sul capaz de enfrentá-los, era o nome do Brasil que estava em jogo. E ela abriu a boca nesse momento para dizer isso é uma tolice e continuou calada, mas o seu rosto foi amaciando e teve uma hora que ela teve de se controlar para não rir e afinal ela voltou a falar, perguntou como é que o anão era arremessado e eu expliquei que duas tiras de couro eram passadas em volta do seu corpo, uma na altura do quadril e outra no peito, e que o arremessador agarrava uma tira com cada mão, colocava o anão em posição horizontal, a cabeça para a frente, e o arremessava dessa maneira.

Quando chegamos a Corumbá, depois de cumprir as exigências do DAC, levei-a até o portão de embarque, onde ela ia pegar o avião de carreira para São Paulo.

Eu te amo, eu disse.

Eu sou mais velha do que você.

Comecei a dizer a minha mãe, mas calei a boca, eu ia dizer a minha mãe era mais velha do que o meu pai, mas a minha mãe morreu de parto e era melhor eu mudar de assunto.

Posso ir a São Paulo ver você?, perguntei.

Vou pensar, ela respondeu.

Antes de sumir na porta de embarque Suzana virou-se para trás e de longe eu senti a intensidade do seu olhar.

A Confraria dos Espadas, **1998**

A Confraria dos Espadas

Fui membro da Confraria dos Espadas. Ainda me lembro de quando nos reunimos para escolher o nome da nossa Irmandade. Argumentei, então, que era importante para nossa sobrevivência que tivéssemos nome e finalidade respeitáveis, dei como exemplo o que ocorrera com a Confraria de São Martinho, uma associação de apreciadores de vinho que, como o personagem do Eça, venderiam a alma ao diabo por uma garrafa de Romanée-Conti 1858, mas que ficou conhecida como uma fraternidade de bêbedos e, desmoralizada, fechou suas portas, enquanto a Confraria do Santíssimo, cujo objetivo declarado é promover o culto de Deus sob a invocação do Santíssimo Sacramento, continuava existindo. Ou seja, precisávamos ter título e objetivo dignos. Meus colegas responderam que a sociedade era secreta, que de certa forma ela já nascia (isto foi dito ironicamente) desmoralizada, e que seu nome não teria a menor importância, pois não seria divulgado. Acrescentaram que a maçonaria e o rosa-cruzismo tinham originalmente títulos bonitos e respeitáveis objetivos filantrópicos e acabaram sofrendo todo tipo de acusação, de manipulação política a sequestro e assassinato. Eu insisti, pedi que fossem sugeridos nomes para a Confraria, o que acabou sendo feito. E passamos a examinar as várias propostas sobre a mesa. Depois de acaloradas discussões, sobraram quatro nomes. Confraria da Boa Cama foi descartado por parecer uma associação de dorminhocos; Confraria dos Apreciadores da Beleza Feminina, além de muito longo, foi considerado reducionista e esteticista, não nos considerávamos estetas no sentido estrito, Picasso estava certo ao odiar o que denominava jogo estético do olho e da mente manejado pelos connaisseurs que "apreciavam" a beleza e, afinal, o que era "beleza"? Nossa confraria era de Fodedores e, como disse o poeta Whitman num poema corretamente intitulado "A Woman Waits for Me", sexo contém tudo, corpos, almas, significados, provas, purezas, delicadezas, resultados, promulgações, canções, comandos, saúde, orgulho, mistério materno, leite seminal, todas as esperanças, benefícios, doações e concessões, todas as paixões, belezas, delícias da terra. Confraria dos Mãos Itinerantes, sugerido por um dos poetas do nosso grupo (tínhamos muitos poetas entre nós, evidentemente), que ilustrou sua proposta com um poema de John Donne — "License my roving hands, and let them go before, behind, between, above, below" —, ainda que pertinente pela sua singeleza ao privilegiar o conhecimento através do tato, foi descartado por ser um símbolo primário dos nossos objetivos. Enfim, depois de muita discussão, acabou sendo adotado o nome Confraria dos Espadas. Os Irmãos mais ricos foram seus principais defensores: os aristocratas são atraídos pelas coisas do submundo, são fascinados pelos delinquentes, e o termo Espada como sinônimo de Fodedor veio do mundo marginal, espada fura e agride, assim é o pênis tal como o veem, erroneamente, bandidos e ignorantes em geral. Sugeri que se algum nome simbólico fosse usado por nós deveria ser o de uma árvore ornamental cultivada por causa de suas flores, afinal o pênis é conhecido vulgarmente como pau ou cacete, pau é o nome genérico de qualquer árvore em muitos lugares do Brasil (mas, corretamente, não o é dos arbustos, que têm um tronco frágil), só que meu arrazoado foi por água abaixo quando alguém perguntou que nome a Confraria teria, Confraria dos Paus?, dos Caules?, e eu não soube responder. Espada, conforme meus opositores, tinha força vernácula, e a rafameia mais uma vez dava sua valiosa contribuição ao enriquecimento da língua portuguesa.

    Como membro da Confraria dos Espadas eu acreditava, e ainda acredito, que a cópula é a única coisa que importa para o ser humano. Foder é viver, não existe mais nada, como os poetas sabem muito bem. Mas era preciso uma Irmandade para defender esse axioma absoluto? Claro que não. Havia preconceitos, mas esses não nos interessavam, as repressões sociais e religiosas não nos afetavam. Então qual foi o objetivo da fundação da Confraria? Muito simples, descobrir como atingir, plenamente, o orgasmo sem ejaculação. A Rainha de Aragão, como conta Montaigne, bem antes desse antigo reino unir-se ao de Castela, no século XV, depois de madura deliberação do seu Conselho privado, estabeleceu como regra, tendo em vista a moderação requerida pela modéstia dentro dos casamentos, que o número de seis cópulas por dia era um limite legal, necessário e competente. Ou seja, naquele tempo um homem e uma mulher copulavam, de maneira competente e modesta, seis vezes por dia. Flaubert, para quem "une once de sperme perdue fatigue plus que trois litres de sang" (já falei disso num dos meus livros), achava as seis cópulas por dia humanamente impossíveis, mas Flaubert não era, sabemos, um Espada. Ainda hoje acredita-se que a única maneira de gozar é através da ejaculação, apesar de os chineses há mais de três mil anos afirmarem que o homem pode ter vários orgasmos seguidos sem ejacular, e assim evitar a perda da onça de esperma que fatiga mais que uma hemorragia de três litros de sangue. (Os franceses chamam de petite mort a exaustão que se segue à ejaculação, por isso um dos seus poetas dizia que a carne era triste, mas os brasileiros dizem que a carne é fraca, em todos os sentidos, o que me parece mais pungente, é pior ser fraco do que triste.) Calcula-se que um homem ejacula em média cinco mil vezes durante sua vida, expelindo um total de um trilhão de espermatozoides. Tudo isso para que e por quê? Porque na verdade somos ainda uma espécie de macaco, e todos funcionamos como um banco genético rudimentar quando bastaria que apenas alguns assim operassem. Nós, da Confraria dos Espadas, sabíamos que o homem, livrando-se de sua atrofia simiesca, apoiado pelas peculiares virtudes de sua mente (nosso cérebro não é, repito, o de um orangotango), poderia ter vários orgasmos consecutivos sem ejacular, orgasmos que lhe dariam ainda mais prazer do que aqueles de ordem seminal, que fazem do homem apenas um instrumento cego do instinto de preservação da espécie. E esse resultado nos encheu de alegria e orgulho, havíamos conseguido, através de elaborados e penosos exercícios físicos e espirituais, alcançar o Múltiplo Orgasmo Sem Ejaculação, que ficou conhecido entre nós pelo acrônimo MOSE. Não posso revelar que "exercícios" eram esses, pois o juramento de manter o segredo mo impede. A rigor eu nem mesmo poderia falar do assunto, ainda que desta maneira restrita.

A Confraria dos Espadas funcionou muito bem durante os seis meses que se seguiram à nossa extraordinária descoberta. Até que um dia um dos nossos Confrades, poeta como eu, pediu a convocação de uma Assembleia Geral da Confraria para relatar um assunto que considerava de magna importância. A mulher dele, percebendo a não ocorrência de emissio seminis durante a cópula, concluíra que isso podia ter várias razões, que em síntese seriam: ou ele estava economizando o esperma para outra mulher, ou então fingia sentir prazer quando na verdade agia mecanicamente como um robô sem alma. A mulher chegou mesmo a suspeitar que nosso colega fizera um implante no pênis para mantê-lo sempre rijo, alegação que ele facilmente provou ser infundada. Enfim, a mulher do poeta deixara de sentir prazer na cópula, na verdade ela queria a viscosidade do esperma dentro da sua vagina ou sobre a sua pele, essa secreção pegajosa e branca lhe era um símbolo poderoso de vida. Sexo, como queria Whitman, afinal incluía o leite seminal. A mulher não disse, mas com certeza o exaurimento dele, macho, representava o fortalecimento dela, fêmea. Sem esses ingredientes ela não sentia prazer e, aqui vem o mais grave, se ela não sentia prazer o nosso Confrade também não o sentia, pois nós, da Confraria dos Espadas, queremos (necessitamos) que nossas mulheres gozem também. Esse é o nosso moto (não o cito em latim para não parecer pernóstico, já usei latim antes): Gozar Fazendo Gozar.

Ao fim da explanação do nosso Confrade a assembleia ficou em silêncio. A maioria dos membros da Confraria estava presente. Acabávamos de ouvir palavras inquietantes. Eu, por exemplo, não ejaculava mais. Desde que conseguira dominar o Grande Segredo da Confraria, o MOSE, eu não produzia mais uma gota sequer de sêmen, ainda que todos os meus orgasmos fossem muito mais prazerosos. E se a minha mulher, que eu amava tanto, pedisse, e ela poderia fazer isso a qualquer momento, que eu ejaculasse sobre seus delicados seios alabastrinos? Perguntei a um dos médicos da Confraria — havia vários médicos entre nós — se eu poderia voltar a ejacular. A medicina nada sabe sobre sexo, essa é uma lamentável verdade, e o meu colega respondeu que isso seria muito difícil, tendo em vista que eu, como todos os outros, criara uma forte dependência àquele condicionamento físico e espiritual; que ele já tentara, usando todos os recursos científicos a que tinha acesso, anular essa função sem o conseguir. Todos nós, ao ouvir a terrível resposta, ficamos extremamente consternados. Logo outros Confrades disseram que enfrentavam o mesmo problema, que suas mulheres começavam a achar artificiosa, ou então assustadora, aquela inesgotável ardência. Acho que me tornei um monstro, disse o poeta que trouxera o problema ao nosso exame coletivo.

E assim terminou a Confraria dos Espadas. Antes da debandada fizemos todos um juramento de sangue de que jamais revelaríamos o segredo do Múltiplo Orgasmo Sem Ejaculação, que ele seria levado para o nosso túmulo. Continuamos tendo uma mulher à nossa espera, mas essa mulher tem de ser trocada constantemente, antes de descobrir que somos diferentes, estranhos, capazes de gozar com infinita energia sem derramamento de sêmen. Não podemos nos apaixonar, pois nossas relações são efêmeras. Sim, eu também me tornei um monstro e meu único desejo na vida é voltar a ser um macaco.

A Confraria dos Espadas, **1998**

Copromancia

Por que Deus, o criador de tudo o que existe no Universo, ao dar existência ao ser humano, ao tirá-lo do Nada, destinou-o a defecar? Teria Deus, ao atribuirnos essa irrevogável função de transformar em merda tudo o que comemos, revelado sua incapacidade de criar um ser perfeito? Ou sua vontade era essa, fazernos assim toscos? *Ergo*, a merda?

Não sei por que comecei a ter esse tipo de preocupação. Não era um homem religioso e sempre considerei Deus um mistério acima dos poderes humanos de compreensão, por isso ele pouco me interessava. O excremento, em geral, sempre me pareceu inútil e repugnante, a não ser, é claro, para os coprófilos e coprófagos, indivíduos raros dotados de extraordinárias anomalias obsessivas. Sim, sei que Freud afirmou que o excrementício está íntima e inseparavelmente ligado ao sexual, a posição da genitália — *inter urinas et faeces* — é um fator decisivo e imutável. Porém isso também não me interessava.

Mas o certo é que estava pensando em Deus e observando as minhas fezes no vaso sanitário. É engraçado, quando um assunto nos interessa, algo sobre ele a todo instante capta a nossa atenção, como o barulho do vaso sanitário do vizinho, cujo apartamento era contíguo ao meu, ou a notícia que encontrei, num canto de jornal, que normalmente me passaria despercebida, segundo a qual a Sotheby's de Londres vendera em leilão uma coleção de dez latas com excrementos, obras de arte do artista conceitual italiano Piero Manzoni, morto em 1963. As peças haviam sido adquiridas por um colecionador privado, que dera o lance final de novecentos e quarenta mil dólares.

Não obstante minha reação inicial de repugnância, eu observava minhas fezes diariamente. Notei que o formato, a quantidade, a cor e o odor eram variáveis. Certa noite, tentei lembrar as várias formas que minhas fezes adquiriam depois de expelidas, mas não tive sucesso. Levantei, fui ao escritório, mas não consegui fazer desenhos precisos, a estrutura das fezes costuma ser fragmentária e multifacetada. Adquirem seu aspecto quando, devido a contrações rítmicas involuntárias dos músculos dos intestinos, o bolo alimentar passa do intestino delgado para o intestino grosso. Vários outros fatores também influem, como o tipo de alimento ingerido.

No dia seguinte comprei uma Polaroid. Com ela, fotografei diariamente as minhas fezes, usando um filme colorido. No fim de um mês, possuía um arquivo de sessenta e duas fotos — meus intestinos funcionam no mínimo duas vezes por dia —, que foram colocadas num álbum. Além das fotografias de meus bolos fecais, passei a acrescentar informações sobre coloração. As cores das fotos nunca são precisas. As entradas eram diárias.

Em pouco tempo sabia alguma coisa sobre as formas (repito, nunca eram exatamente as mesmas) que o excreto podia adquirir, mas aquilo não era suficiente para mim. Quis então colocar ao lado de cada porção a descrição do seu odor, que era também variável, mas não consegui. Kant estava certo ao classificar o olfato como um sentido secundário, devido a sua inefabilidade. Escrevi no Álbum, por exemplo, este texto referente ao odor de um bolo fecal espesso, marromescuro: odor opaco de verduras podres em geladeira fechada. O que era isso, odor opaco? A espessura do bolo me levara involuntariamente a sinonimizar: espesso-opaco? Que verduras? Brócolis? Eu parecia um enólogo descrevendo a fragrância de um vinho, mas na verdade fazia uma espécie de poesia nas minhas descrições olfativas. Sabemos que o odor das fezes é produzido por um composto orgânico de indol, igualmente encontrado no óleo de jasmim e no almíscar, e de escatol, que associa ainda mais o termo escatologia às fezes e à obscenidade. (Não confundir com outra palavra, homógrafa em nossa língua, mas de diferente etimologia grega, uma skatos, *excremento*, a outra éschatos, *final*, esta segunda *escatologia* possuindo uma acepção teológica que significa juízo final, morte, ressurreição, a doutrina do destino último do ser humano e do mundo.)

Faltava-me obter o peso das fezes e para tanto meus falazes sentidos seriam ainda menos competentes. Comprei uma balança de precisão e, após pesar durante um mês o produto dos dois movimentos diários dos meus intestinos, concluí que eliminava, num período de vinte e quatro horas, entre duzentos e oitenta e trezentos gramas de matéria fecal. Que coisa fantástica é o sistema digestivo, sua anatomia, os processos mecânicos e químicos da digestão, que começam na boca, passam pelo peristaltismo e sofrem os efeitos químicos das reações catalíticas e metabólicas. Todos sabem, mas não custa repetir, que fezes consistem em produtos alimentares não digeridos ou indigeríveis, mucos, celulose, sucos (biliares, pancreáticos e de outras glândulas digestivas), enzimas, leucócitos, células epiteliais, fragmentos celulares das paredes intestinais, sais minerais, água e um número grande de bactérias, além de outras substâncias. A maior presença é de bactérias. Os meus duzentos e oitenta gramas diários de fezes continham, em média, cem bilhões de bactérias de mais de setenta tipos diferentes. Mas o caráter físico e a composição química das fezes são influenciados, ainda que não exclusivamente, pela natureza dos alimentos que ingerimos. Uma dieta rica em celulose produz um excreto volumoso. O exame das fezes é muito importante nos diagnósticos definidores dos estados mórbidos, é um destacado instrumento da semiótica médica. Se somos o que comemos, como disse o filósofo, somos também o que defecamos. Deus fez a merda por alguma razão.

Esqueci-me de dizer que troquei o meu vaso sanitário, cuja bitola afunilada constringia as fezes, por um outro de fabricação estrangeira que teve de ser importado, uma peça com o fundo muito mais largo e mais raso, que não causava nenhuma interferência no formato do bolo fecal quando de sua queda após ser expelido, permitindo uma observação mais correta do seu feitio e disposição naturais. As fotos também eram mais fáceis de realizar e a retirada do bolo para ser pesado — a última etapa do processo — exigia menos trabalho.

Um dia, estava sentado na sala e notei sobre a mesa uma revista antiga, que devia estar num arquivo especial que tenho para as publicações com textos de minha autoria. Eu não me lembrava de tê-la retirado do arquivo, como fora aparecer em cima da mesa? Senti um certo mal-estar ao procurar o meu artigo. Era um ensaio que eu intitulara "Artes adivinhatórias". Nele eu dizia, em suma, que astrologia, quiromancia & companhia não passavam de fraudes usadas por trapaceiros especializados em burlar a boa-fé de pessoas incautas. Para escrever o artigo, entrevistara vários desses indivíduos que ganhavam a vida prevendo o futuro e muitas vezes o passado das pessoas, através da observação de sinais variados. Além dos astros, havia os que baseavam sua presciência em cartas de baralho, linhas da mão, rugas da testa, cristais, conchas, caligrafia, água, fogo, fumaça, cinzas, vento, folhas de árvores. E cada uma dessas divinações possuía um nome específico, que a caracterizava. O primeiro que entrevistei, que praticava a geloscopia, dizia-se capaz de descobrir o caráter, os pensamentos e o futuro de uma pessoa pela maneira dela gargalhar, e me desafiou a dar uma risada. O último que entrevistei...

Ah, o último que entrevistei... Morava numa casa na periferia do Rio, uma região pobre da zona rural. O que me levou a enfrentar as dificuldades de encontrá-lo foi o fato de ser ele o único da minha lista que praticava a arte da aruspicação, e eu estava curioso para saber que tipo de embuste era aquele. A casa, de alvenaria, de apenas um piso, ficava no meio de um quintal sombreado de árvores. Entrei por um portão em ruínas e tive que bater várias vezes na porta. Fui recebido por um homem velho, muito magro, de voz grave e triste. A casa era pobremente mobiliada, não se via nela um único aparelho eletrodoméstico. As artimanhas desse sujeito, pensei, não o estão ajudando muito. Como se tivesse lido os meus pensamentos ele resmungou, você não quer saber a verdade, sinto a perfídia em seu coração. Vencendo a minha surpresa respondi, só quero saber a verdade, confesso que tenho prevenções, mas procuro ser isento nos meus julgamentos. Ele me pegou pelo braço com sua mão descarnada. Venha, disse.

Fomos para os fundos do quintal. Havia no chão de terra batida alguns cercados, um contendo cabritos, outro aves, creio que patos e galinhas; e mais um, com coelhos. O velho entrou no cercado de cabritos, pegou um dos animais e levou-o para um círculo de cimento num dos cantos do quintal. Anoitecia. O velho acendeu uma lâmpada de querosene. Um enorme facão apareceu em sua mão. Com alguns golpes, não sei de onde tirou a força para fazer aquilo, cortou a cabeça do cabrito. Em seguida — detesto relembrar esses acontecimentos —, usando sua afiada lâmina, abriu uma profunda e larga cavidade no corpo do cabrito, deixando suas entranhas à mostra. Pôs a lâmpada de querosene ao lado, sobre uma poça de sangue, e ficou um longo tempo observando as vísceras do animal. Finalmente, olhou para mim e disse: a verdade é esta, uma pessoa muito próxima a você está prestes a morrer, veja, está tudo escrito aqui. Venci minha repugnância e olhei aquelas entranhas sangrentas.

Vejo um número oito.

É esse o número, disse o velho.

Essa cena eu não incluí no meu artigo. E durante todos esses anos deixei-a esquecida num dos porões da minha mente. Mas hoje, ao ver a revista, rememorei, com a mesma dor que sentira na ocasião, o enterro da minha mãe. Era como se o cabrito estivesse estripado no meio da minha sala e eu contemplasse novamente o número oito nos intestinos do animal sacrificado. Minha mãe era a pessoa mais próxima de mim e morreu inesperadamente, oito dias depois da profecia funesta do velho arúspice.

A partir daquele momento em que desbloqueei da minha mente a lembrança do sinistro vaticínio da morte da minha mãe, comecei a procurar sinais proféticos nos desenhos que observava em minhas fezes. Toda leitura exige um vocabulário e evidentemente uma semiótica, sem isso o intérprete, por mais capaz e motivado que seja, não consegue trabalhar. Talvez o meu Álbum de fezes já fosse uma espécie de léxico, que eu criara inconscientemente para servir de base às interpretações que agora pretendia fazer.

Demorei algum tempo, para ser exato setecentos e cinquenta e cinco dias, mais de dois anos, para poder desenvolver meus poderes espirituais e livrar-me dos condicionamentos que me faziam perceber somente a realidade palpável e afinal interpretar aqueles sinais que as fezes me forneciam. Para lidar com símbolos e metáforas é preciso muita atenção e paciência. As fezes, posso afirmar, são um criptograma, e eu descobrira os seus códigos de decifração. Não vou detalhar aqui os métodos que utilizava, nem os aspectos semânticos e hermenêuticos do processo. Posso apenas dizer que o grau de especificidade da pergunta é fator ponderável. Consigo fazer perguntas prévias, antes de defecar, e interpretar depois os sinais buscando a minha resposta. Por outro lado, interrogações que podem ser elucidadas com uma simples negativa ou afirmativa facilitam o trabalho. Consegui prever, através desse tipo de indagação específica, o sucesso de um dos meus livros e o fracasso de outro. Mas às vezes eu nada indagava, e usava o método incondicional, que consiste em obter respostas sem fazer perguntas. Pude ler, nas minhas fezes, o presságio da morte de um governante; a previsão do desabamento de um prédio de apartamentos com inúmeras vítimas; o augúrio de uma guerra étnica. Mas não comentava o assunto com ninguém, pois certamente diriam que eu era um louco.

Há pouco mais de seis meses notei que mudara o ritmo das descargas da válvula do vaso sanitário do meu vizinho e logo descobri a razão. O apartamento fora vendido para uma jovem mulher, a quem encontrei, numa tarde ao chegar em casa, desanimada em frente à sua porta. Estava sem as chaves e não podia entrar. Eu me ofereci para entrar pela minha janela no seu apartamento, se a janela dela estivesse aberta, e abrir a porta. Isso exigiu de mim um pouco de contorcionismo, mas não foi difícil.

Ela me convidou para tomar um café. Seu nome era Anita. Passamos a nos visitar, gostávamos um do outro, morávámos sozinhos, nem eu nem ela tínhamos parentes no mundo, nossos interesses eram comuns e parecidas as opiniões que tínhamos sobre livros, filmes, peças de teatro. Ainda que ela fosse uma pessoa mística, jamais lhe falei dos meus poderes divinatórios, pois merda, entre nós, era um assunto tacitamente interdito, ela certamente não me deixaria ver as suas fezes; se um de nós fosse ao banheiro, tomava sempre o cuidado de pulverizar depois o local com um desodorante, colocado estrategicamente ao lado do lavatório.

Durante dez dias, antes de lhe declarar o meu amor, interpretei os sinais e decifrei as respostas que as minhas fezes davam à pergunta que fazia: se aquela seria a mulher da minha vida. A resposta era sempre afirmativa.

Fui almoçar num restaurante com Anita. Como de hábito, ela demorou um longo tempo lendo o cardápio. Eu já disse que ela se considerava uma pessoa mística e que atribuía à comida um valor alegórico. Acreditava na existência de conhecimentos que só poderiam se tornar acessíveis por meio de percepções subjetivas. Como não tinha conhecimento dos dons que eu possuía, dizia que ao contrário dela eu apenas notava o que os meus sentidos me mostravam, e eles me davam apenas uma percepção grosseira das coisas. Afirmava que sua vitalidade, serenidade e alegria de viver resultavam da capacidade de harmonizar o mundo físico e espiritual através de experiências místicas que não me explicava quais eram pois eu não as entenderia. Quando lhe perguntei que papel desempenhavam nesse processo os exercícios aeróbicos, de alongamento e de musculação que ela fazia diariamente, Anita, depois de sorrir superiormente, afirmou que eu, como um monge da Idade Média, confundia misticismo com ascetismo. Na verdade, suas inclinações esotéricas aliadas à sua beleza — ela poderia ser usada como a ilustração da Princesa numa história de era-uma-vez — a tornavam ainda mais atraente.

Foi no restaurante que declarei o meu amor por Anita. Depois fomos para a minha casa.

Naquela noite fizemos amor pela primeira vez. Depois, durante nosso preguiçoso repouso, intercalado de palavras carinhosas, ela perguntou se eu tinha um dicionário de música, pois queria fazer uma consulta. Normalmente eu me levantaria da cama e iria apanhar o dicionário. Mas Anita, notando minha sonolência, causada pelo vinho que tomamos no jantar e pela saciação amorosa, disse que encontraria o dicionário, que eu permanecesse deitado.

Anita demorou a voltar para o quarto. Creio que até cochilei um pouco. Quando voltou, tinha o Álbum de fezes na mão.

O que é isto?, perguntou. Levantei-me da cama num pulo e tentei tirá-lo das suas mãos, explicando que não gostaria que lesse aquilo, pois ficaria chocada. Anita respondeu que já lera várias páginas e que achara engraçado. Pediu-me que explicasse em detalhes o que era e para que servia aquele dossiê.

Contei-lhe tudo e minha narrativa foi acompanhada atentamente por Anita, que amiúde consultava o Álbum que mantinha nas mãos. Para meu espanto, ela não só fez perguntas como discutiu comigo detalhes referentes às minhas interpretações. Falei-lhe da minha surpresa com a sua reação, mencionei o fato de ela ter detestado um dos meus livros, que tem uma história envolvendo fezes, e Anita respondeu que o motivo da sua aversão fora outro, o comportamento romântico machista do personagem masculino. Que aquilo tudo que lhe dizia a deixava feliz, pois indicava que eu era uma pessoa muito sensível. Aproveitei para dizer que gostaria de um dia ver as suas fezes, mas ela reagiu dizendo que nunca permitiria isso. Mas que não se incomodaria de ver as minhas.

Durante algum tempo observamos e analisamos as minhas fezes e discutimos a sua fenomenologia. Um dia, estávamos na casa de Anita e ela me chamou para ver suas fezes no vaso sanitário. Confesso que fiquei emocionado, senti o nosso amor fortalecido, a confiança entre os amantes tem esse efeito. Infelizmente o aparelho sanitário de Anita era do tal modelo alto e afunilado, e isso prejudicara a integridade das fezes que ela me mostrava, causando uma distorção exógena que tornara a massa ilegível. Expliquei isso para Anita, disse-lhe que para impedir que o problema voltasse a ocorrer ela teria que usar o meu vaso especial. Anita concordou e afirmou que ficara feliz ao contemplar as minhas fezes e que ao mostrar-me as suas se sentira mais livre, mais ligada a mim.

No dia seguinte, Anita defecou no meu banheiro. Suas fezes eram de uma extraordinária riqueza, várias peças em forma de bengalas ou báculos, simetricamente dispostas, lado a lado. Eu nunca vira fezes com desenho tão instigante. Então notei, horrorizado, que um dos bastonetes estava todo retorcido, formando o número oito, um oito igual ao que vira nas entranhas do cabrito sacrificado pelo arúspice, o augúrio da morte da minha mãe.

Anita, ao notar minha palidez, perguntou se eu estava me sentindo bem. Respondi que aquele desenho significava que alguém muito ligado a ela iria morrer. Anita duvidou, ou fingiu duvidar, do meu vaticínio. Contei-lhe a história da minha mãe, disse que havia sido de oito dias o prazo que transcorrera entre a revelação do arúspice e a morte dela.

Ninguém era tão próximo de Anita quanto eu. Marcado para morrer, eu tinha que me apressar, pois queria passar para ela os segredos da copromancia, palavra inexistente em todos os dicionários e que eu compusera com óbvios elementos gregos. Somente eu, criador solitário do seu código e da sua hermenêutica, possuía, no mundo, esse dom divinatório. Amanhã será o oitavo dia. Estamos na cama, cansados. Acabei de perguntar a Anita se ela queria fazer amor. Ela respondeu que preferia ficar quieta ao meu lado, de mãos dadas, no escuro, ouvindo a minha respiração.

Secreções, excreções e desatinos, **2001**

MECANISMOS DE DEFESA

Leeuwenhoeck, que era dono de um armarinho, inventou o microscópio para ver micróbios. Ele se masturbava e depois examinava o próprio esperma para contemplar aquela miríade de minúsculas criaturas, que possuíam cabeça e cauda, mexendo-se alucinadamente, seres que foi ele o primeiro no mundo a ver.

Godofredo leu isso num livro. Inspirado em Leeuwenhoeck, comprou um microscópio para examinar o seu esperma. Mas enquanto o holandês examinou outras secreções e excreções do seu próprio corpo — fezes, urina, saliva —, Godofredo se interessou apenas pelo sêmen. Até então, tudo o que ele conhecia sobre esse fluido era o seu cheiro de água sanitária, e também o fato de que continha espermatozoides que podiam engravidar uma mulher. A água sanitária, ele leu em uma garrafa desse desinfetante que tinha em casa, era feita de hipoclorito, hidróxido e cloreto de sódio. Mas aqueles pequenos animais que ele via na viscosa secreção esbranquiçada ejaculada pelo seu pênis e lambuzada na lâmina do microscópio não poderiam viver num líquido que servia para limpar vasos sanitários, ralos, pias e latas de lixo.

Godofredo saiu e percorreu várias livrarias, onde comprou livros que poderiam esclarecer suas dúvidas. Depois de ler um deles, concluiu que o cheiro de água sanitária devia ser do sódio contido no sêmen. Talvez os aminoácidos, o fósforo, o potássio, o cálcio, o zinco contribuíssem também, de alguma forma, para aquele cheiro de detergente.

Estudou também os espermatozoides. Eles tinham duas partes, uma cauda e uma cabeça, de formato chato e amendoado, que Godofredo podia distinguir facilmente no microscópio, não obstante essa cabeça, segundo os livros que comprara, tivesse apenas quatro a cinco mícrons de comprimento e dois a três mícrons de largura. E era naquela micrométrica cabeça que se localizava o núcleo onde estavam as moléculas genéticas chamadas cromossomos, responsáveis pela transmissão das características específicas dele, Godofredo, como a cor verde dos seus olhos, seu cabelo castanho liso, sua pele branca — se ele um dia viesse a ter um filho. Uma polegada tinha 25 mil mícrons, os bichinhos eram pequenos mesmo. Ele não tinha noção exata do que era um mícron, mas o certo, concluiu, era que, assim como a cabeça era a parte mais importante no homem, também no espermatozoide ocorria o mesmo. A cauda apenas servia para movimentar a célula, ondulando e vibrando, para levar os espermatozoides numa corrida para ver quem chegava primeiro até o óvulo, que salvaria da extinção aquele gameta masculino. Fertiliza ou morre, era o lema deles, dos quatrocentos milhões de espermatozoides contidos numa ejaculação. Apenas um costumava escapar. A mortandade desses seres não tinha igual na história das catástrofes.

A masturbação diária e o microscópio propiciavam a Godofredo o acesso a um saber que antes ele não possuía. Isso é muito bom, dizia para seus botões. Mas, depois de algum tempo, Godofredo se masturbava e não mais colocava o sêmen na lâmina, para examinar os bichinhos. Perdera o interesse, aquela movimentação parecia-lhe agora um grotesco balé improvisado sobre uma música dodecafônica. Então aquela curiosidade científica não passava de um pretexto para se masturbar? E se fosse? Como dizia o personagem de um filme de sucesso: "Hey, não falem mal da masturbação! É sexo com alguém que eu amo."

Godofredo desenvolveu uma tese, segundo a qual o sexo entre duas pessoas pode causar a destruição mútua, mas a masturbação a sós nenhum mal pode provocar. Para comprovar seu ponto de vista, apropriava-se da afirmativa de um renomado psiquiatra, autor de vários livros científicos: a masturbação era a principal atividade sexual da humanidade, algo que no século XIX era uma doença, mas no século XX era uma cura. E no século XXI, Godofredo acrescentava, com os graves problemas de comunicação provocados pela televisão e agravados pela internet, com os sofrimentos causados pelos nossos inevitáveis surtos de egocentrismo e narcisismo, com as frustrações resultantes da deterioração do meio ambiente, a masturbação era o mais puro dos prazeres que nos restavam. E as mulheres, a quem sempre foram negados todos os prazeres, podiam encontrar na masturbação uma fonte redentora de deleite e alegria.

Um onanista que se preze, ele dizia, masturba-se diariamente. Godofredo tinha quarenta anos, a idade de esplendor do onanista, conforme ele acreditava, mas reconhecia que não existia uma faixa etária mais adequada do que outra para essa atividade; quando tivesse oitenta anos, certamente escolheria essa idade provecta como a ideal, convicto de que a partir dos 12 anos e até morrer o indivíduo está em condições de praticar a masturbação de maneira saudável e prazerosa. Conforme suas teorias, além da idade, não existiam outras limitações, de constituição física, condição social e econômica, escolaridade, etnia. Nada disso interferia criando empecilhos ou de alguma forma atenuando as emoções liberadas por aquela atividade. Se o sujeito não possuía dinheiro para comprar um desses lubrificantes que vendiam na farmácia e que tornavam mais agradável a fricção do pênis, ele podia muito bem usar qualquer outra substância oleaginosa mais barata, como o óleo de soja usado na cozinha. Não importava, ainda, se a pessoa era gorda ou magra, alta ou baixa, feia ou bonita, preta ou branca, tímida ou agressiva, culta ou analfabeta, surda ou muda, pois sentiria da mesma maneira a emoção forte que a masturbação provocava. Quanto aos aspectos higiênicos, não existiam casos de doenças adquiridas na prática do onanismo.

Masturbação e pensamento deviam estar sempre associados, numa demonstração da indissolúvel unidade de corpo e mente. Havia muitos que não pensavam, apenas usavam, simultaneamente, como tosco estimulante, o sentido da visão. Mas o bom onanista pensava, naquele momento glorioso. Eu penso, ele dizia.

E ele pensava em quê? Quando se masturbava, pensava numa mulher, uma determinada mulher. Sabia que, se em vez de pensar na tal mulher, ele a tivesse nos braços, a relação sexual deles seria uma perfeita comunhão física e espiritual.

Godofredo telefonou para essa mulher que não saía da sua cabeça. Quem atendeu foi a irmã dela. Os telefones modernos são muito sensíveis, e ele ouviu a irmã dizer, de maneira abafada, pois colocara a mão no bocal do aparelho: "É o Godofredo que quer falar com você." E também ouviu a resposta, que foi gritada pela mulher dos seus sonhos: "Já disse que não estou para esse cretino."

Nada, pensou Godofredo novamente, era mais condizente com a felicidade e o equilíbrio emocional do ser humano do que a masturbação. Era o passatempo dos deuses do Olimpo, era o paraíso dos mortais, a delícia das delícias, o grande alimento do corpo e da alma.

Secreções, excreções e desatinos, 2001

CADERNINHO DE NOMES

Depois que me separei, comprei um caderninho onde escrevia os nomes das mulheres que iam para a cama comigo. Quando estava casado eu não tinha nenhum caderninho, a minha mulher era muito possessiva e as suas crises de ciúme, além de longas, eram muito teatrais. Ela rasgava as minhas roupas novas. Eu não dava a menor importância a isso.

Eu escondia de Nice a existência das outras mulheres que povoavam o meu mundo. Ainda não tinha caderninho naquela época, mas já ia para a cama com outras. O ciúme de Nice era sempre causado por um gesto inocente da minha parte, como olhar uma dona que passava perto da nossa mesa no restaurante. Às vezes, num mero exercício especulativo, eu imaginava o que ela faria se soubesse que eu comia outras mulheres. Mas eu não corria riscos. Caderninho de endereços, cartas, retratos, essas coisas clandestinas sempre são descobertas.

Por que me separei dela? Talvez porque não aguentasse mais ter que usar as roupas da "última moda" que Nice comprava para mim. Durante algum tempo eu achava graça em mim mesmo enfiado naqueles paramentos. Tenho senso de humor, como todo sujeito preguiçoso. Lembro-me de um jantar, presentes as habituais figurinhas que se enfeitam com esmero para essas ocasiões, quando uma das mulheres, uma ruiva bonita, elogiou os meus trajes. Eu disse que Nice os havia escolhido. A ruiva virou-se para o marido, um advogado vestido formalmente que suava pelos cotovelos apesar do ar refrigerado, e lhe disse que ele devia seguir o meu exemplo. O resto da noite, os casais presentes — havia profissionais liberais, empresários, até mesmo uma artista plástica, a maioria trajada conforme os ditames estilísticos da época — discutiram se as mulheres deviam ou não escolher a roupa que os maridos usavam. Foi um debate acalorado e extenso, o advogado falastrão, que não gostava de mim, foi um dos mais eloquentes.

No dia seguinte, empacotei minhas roupas velhas e alguns livros, os de poesia, e mudei de casa. Minha ex-mulher era tão ingênua que rasgou todas as roupas novas, que eu deixara no apartamento, pensando que se vingava de mim, e contratou o advogado paspalhão que suava no jantar para tirar o meu couro, mas ele conseguiu menos do que ela queria. Minha união com Nice havia durado três anos, alimentada pela inércia, essa qualidade passiva que faz o sujeito resistir, não importa a magnitude da escala de Richter, aos rotineiros abalos sísmicos de todo casamento.

Sou um indolente. Mas minha preguiça nunca interferiu na minha motivação de conquistar e possuir as mulheres. Só não quero é casar novamente. Na vida tudo é motivação. É uma energia psíquica, como dizem os estudiosos, uma tensão que põe em movimento o organismo humano, determinando o nosso comportamento. Às vezes eu penso que, no meu caso, é também uma maldição.

Que mulheres eu queria conquistar? Famosas? Não me interessavam. Uma mulher famosa, não importa a origem da sua celebridade, costuma ter mais defeitos que atrativos, por mais bonita que seja. Ricas? Zero motivo. Cultas? Zero motivo. Elegantes? Isso é interessante, mas não basta — evidentemente não estou falando de roupas, elegância é outra coisa. Esportivas? Pra quê, pra correr comigo na praia com um daqueles medidores de ritmo cardíaco atado no peito? Zero, evidentemente. Eu queria mulheres bonitas e bem-humoradas. Só isso. É claro que se fosse um pouquinho feia mas tivesse um corpo muito bonito ela entrava no caderninho. Aliás, o corpo bonito era mais importante do que o rosto bonito.

Que dificuldades eu encontrava para conseguir o plantel registrado no meu caderninho? Eu queria mulheres bonitas, mas às vezes acontecia que a mulher bonita era também inteligente. Teoricamente, uma mulher inteligente perceberia logo que sou um mulherengo. Teoricamente. Mas, na prática, elas são ainda mais pacóvias do que as burras. Como, por exemplo, a penúltima, chamada Safira, que entrou no meu caderninho.

Antes de prosseguir, devo dizer que gosto de comer a mulher no dia seguinte àquele em que a conheço, já que no mesmo dia é um açodamento que deve ser evitado, a pressa é inimiga da perfeição. Este, aliás, é um dos meus clichês favoritos, não me incomoda usar lugares-comuns, são sempre a concepção clara de uma realidade, ainda que gastos pelo abuso. Mas, como dizia, no segundo encontro com Safira eu, como de costume, sugeri irmos para a cama.

"Você não acha que devemos esperar o tempo certo?"

Tenho sempre um bom clichê na manga.

"Boire sans soif et faire l'amour en tout temps, madame, il n'y a que ça qui nous distingue des autres bêtes. Beaumarchais, *Mariage de Figaro*", respondi.

Esqueci de dizer, sei falar francês, qualquer mandrião consegue aprender francês. Safira era jovem, não conhecia esse chavão centenário nem o autor da peça, apenas a ópera de Mozart, sabia um pouco de francês, mas como era razoavelmente inteligente entendeu que eu dissera uma verdade: o que nos diferencia dos animais é que bebemos quando não sentimos sede e fazemos amor a qualquer momento. Faz parte da natureza humana, da nossa essência. Então, Safira percebeu que devia seguir seus mais puros instintos e foi para a cama comigo. Pude pôr o nome dela no caderninho, com uma breve nota sobre as suas características principais.

Podia contar outros casos, inúmeros, porém sinto que estou me tornando prolixo. Mas não posso deixar de falar de Andressa. Um exemplo de caso difícil.

Andressa era filha de novos-ricos — nessa esfera social ninguém dá a uma filha nomes como Maria. Ela evitou ir para a cama comigo no primeiro dia, no segundo, no terceiro e até mesmo — incrível, não? — no quarto dia.

"É assim que você vê as mulheres? Que você me vê? Como um objeto sexual?", ela perguntou, quando da minha última tentativa.

Protestei com veemência, disse que era atraído pelos seus atributos físicos, morais e mentais, pela sua personalidade como um todo.

Senti que minha afirmativa categórica não a convencera. Ela ainda tinha fortes dúvidas a meu respeito, se eu merecia ou não a sua confiança.

Para um indolente como eu, essa dificuldade poderia ser desestimulante. Mas, como disse, a minha motivação, ou maldição, era tão forte quanto a de Sísifo.

Consegui, com muito esforço, convencê-la a se encontrar comigo, mais uma vez, no meu apartamento. Nesse dia crítico, esqueci sobre a mesa da sala o caderninho com os nomes das mulheres, em cuja capa vermelha estava escrito: *As mulheres que amei*.

E aconteceu o que não podia deixar de acontecer. Andressa achou o caderninho e pegou-o, estava aparente demais, com sua capa gritante. As mulheres são curiosas, como sabemos, e essas coisas clandestinas sempre são descobertas por elas. Azar de quem não sabe disso.

"As mulheres que amei", disse Andressa, lendo a capa do caderninho.

Eu estava perto. Corri e arranquei o caderninho vermelho das suas mãos.

"Desculpe", eu disse, nervoso, "mas este caderninho contém coisas que eu não gostaria que você lesse. Desculpe."

"Por quê? O que tem nele, além dos nomes?"

"Bem..."

"O que mais?"

Coloquei o caderninho no bolso e juntei as mãos, como numa prece, no melhor estilo de um italiano suplicante:

"Por favor, não me peça para ler esse caderninho."

"Nomes de mulheres...", repetiu Andressa, com desprezo na voz. "E o que mais contém essa coisa, que eu não posso ler?"

Passei as mãos sobre a cabeça e mantive-me calado. Além dos nomes, havia no caderninho uma breve anotação sobre as particularidades de cada mulher. Eu não conseguia esconder meu constrangimento, creio mesmo que fiquei ruborizado.

"Anda, fala logo. O que tem nele, além dos nomes?"

"As... ah... características... de cada uma delas."

"Que coisa mais sórdida. Você anota num caderninho as obscenidades que pratica com as mulheres que diz ter amado?"

"Não é nada disso."

Andressa pegou a sua bolsa, que deixara sobre uma cadeira.

"Nunca pensei que alguém pudesse ser tão canalha."

Quando ela já estava na porta, para sair, eu a segurei. Tirei o caderninho do bolso.

"Pode ler. Por favor, não vá embora."

Ela parou, indecisa.

"Não quero ler essa porcaria."

"Agora você tem que ler. Depois de todas essas coisas horríveis que disse de mim, mereço que pelo menos este meu pedido seja aceito, me dá uma chance de provar que sou um homem de caráter. Eu te amo."

Esfreguei os olhos, como alguém à beira das lágrimas.

"Assim como amou as dezenas de mulheres do seu caderninho?"

"Leia, estou implorando."

Entreguei o caderninho a Andressa.

Ela hesitou um pouco. Começou a ler, e o seu rosto, aos poucos, foi demonstrando surpresa. Caminhou para o centro da sala e pôs a bolsa de volta sobre a cadeira.

"São apenas cinco nomes", disse Andressa.

"Leia o que está escrito", eu disse.

"Já li. Me desculpe", disse Andressa.

"Só desculpo se você ler o que está aí em voz alta."

Andressa leu:

"Marta. Gosta de gatos e de assistir ao pôr do sol. Sílvia. Preocupa-se com ecologia. Luíza. Adora o lirismo de Florbela Espanca. Renata. Canta as músicas de Cole Porter melhor do que ninguém. Lourdes. Tem uma linda coleção de orquídeas. São apenas essas cinco?"

"Agora, seis, com você, que vai encerrar esse caderninho para sempre."

"Quem é Florbela?"

"Poeta portuguesa."

"Você me desculpa?"

"Claro. A culpa do mal-entendido foi toda minha."

"O meu nome ainda não está no caderninho. Você vai escrever o quê?"

Tirei o caderninho da sua mão. Escrevi:

"Andressa. Sofisticada, generosa, inteligente, linda como uma princesa de histórias de fada."

Andressa leu o que eu havia escrito para ela. Abraçou-me, carinhosamente. Fomos para a cama.

Passou a noite comigo. Enquanto fazíamos sexo, me chamou de meu amor várias vezes.

De manhã, quando foi embora, peguei o caderninho de nomes que Andressa deixara sobre a mesa e coloquei-o numa gaveta fechada à chave onde estava o outro caderninho, o verdadeiro, de discreta capa cinza, o que continha, resumidamente, as peculiaridades reais e os nomes das dezenas de mulheres que eu comera. O de capa vermelha, que Andressa lera, era uma falsificação que eu astutamente preparara para aquela empreitada difícil. Cinco dias!

Com a minha melhor caligrafia, escrevi, no caderninho verdadeiro:

"Andressa. Chupa. Anal. Celulite. Não sabe quem é Florbela Espanca."

Pequenas criaturas, 2002

Começo

Começar — o resto vem depois. Sábado e domingo fui a uma feira de livros na praça perto de minha casa, uma porção de quiosques com enorme quantidade de títulos, existem livros sobre qualquer assunto. Aproveitei e passei esses dois dias andando de uma barraca para a outra, lendo trechos de centenas de livros. Os encarregados desses quiosques são como os camaradas dos sebos, não se incomodam se você dá uma manuseada no volume. E havia pouca gente interessada.

Quero escrever um livro. Não penso em outra coisa. Li uma entrevista de um autor importante, não me lembro do nome, na qual ele dizia que sentava na frente do computador para escrever sem saber o quê, e, à medida que escrevia, as ideias iam surgindo na sua cabeça, os personagens, a história, tudo. Se você quer escrever, aconselhava ele, comece — escrever é começar. Uma coisa simples, como todas as verdades. E a gente começa um livro dando-lhe um título, sem ele o livro não adquire o sopro inicial de vida necessário ao seu desenvolvimento, um livro é como uma pessoa, tem que ter logo um nome de batismo. Ontem comecei um livro, mas desisti. Fiquei horas na frente do papel, olhando para o título, e não saiu mais nada. Rasguei aquela folha e joguei no lixo. Hoje começo outro. Com título diferente, é claro, o primeiro abortou. Escrever é começar.

A VINGANÇA — "As pessoas que o conheciam não seriam capazes de imaginar que ele pudesse realizar alguma coisa grandiosa. Era um homem gordo e ninguém esperava que conseguisse aquela proeza admirável. Como não havia heróis gordos no cinema, na televisão e na História, eles também não podiam existir na vida real. Jesus era magro, o Demônio também era magro. Um Casanova gordo? Só se fosse um xeque. Sim, Buda era gordo, mas devia haver alguma misteriosa razão sanscrítica para ele ser representado por uma imagem pachorrenta, sempre sentada, enquanto os outros, os magros, estão de pé ou a cavalo. Os gordos são vistos como pessoas tolas que suam muito, que sobem escadas bufando exaustos, cuja nudez, quando não é repulsiva, é cômica. Os caricaturistas adoram os gordos. São ridicularizados, humilhados e ofendidos de todas as maneiras. Além de gordo, ele era pobre. Sim, ele era um gordo recalcado, se roendo de inveja e vergonha. Até que tramou a sua vingança, uma façanha assombrosa que lavaria a sua alma e a de todos os gordos do mundo."

Uma merda, esse começo. Não consigo inventar uma boa história. Tenho um título e um começo, mas o resto? O começo até que é razoável, cria um certo suspense ao falar de vingança, de uma façanha assombrosa. O leitor certamente ficará interessado. Mas que façanha assombrosa é essa? Jogar uma bomba num local cheio de gente? Isso acontece todo dia em várias partes do mundo, o herói matando em nome de Deus, mas não quero escrever uma história sobre a Fé, nem sobre nenhum outro dogma religioso. O personagem é um grande bandido? Bandido gordo não é raro, mas os bandidos realmente importantes são magros. Tenho que mudar o começo. Primeiro, riscar a façanha assombrosa. Outra coisa, um ato que lave a alma dos gordos do mundo inteiro é impossível. Posso deixar o personagem tramando uma vingança que lave a sua alma singular, um sujeito gordo pode lavar a própria alma matando um magrela qualquer, mas isso é pouco. O escritor não deve criar expectativas que não podem ser preenchidas. Teve um desses caras cheios de livros publicados que, numa entrevista, os escritores adoram dar entrevistas, pontificou: ao escrever, livre-se da sua vidinha. Até que isso está bem bolado. Livre-se da sua vidinha. Então meu personagem vai deixar de ser gordo, ele é gordo porque eu sou gordo, vou livrar-me da minha vidinha. Mas tenho que saber sobre o que eu escrevo, porra, não é fácil a gente se livrar da nossa vidinha. Eu sei o que é ser gordo, devo então fingir que sou magro e atribuir ao meu personagem magro os meus ressentimentos de gordo? Provavelmente o leitor não perceberá isso, que o personagem magro é na verdade um gordo frustrado e humilhado. Bem, vou fazer esse sujeito magro matar alguém, de preferência um político odiado, um tubarão das finanças ou outro figurão qualquer, a morte de um sujeito poderoso causa comoção e desperta simpatia para o assassino, até mesmo na vida real. E o herói, que os leitores pensam ser magro, lava a sua alma de gordo ao cometer esse ato mortal. O problema é que essa história de atentado já foi muito usada, os humilhados do mundo sempre cometeram atentados, contra príncipes, políticos, multidões, causando guerras e comoções com esse gesto, mas alguém lembra o nome deles? Quem foi mesmo que matou o arquiduque Ferdinand? Quem foi mesmo que detonou aquela bomba que matou milhares naquela parte do mundo? Não posso escrever coisas que o tempo apaga. Sinto-me num beco sem saída, comecei mal. Está uma merda, esse começo. Mas são estes os assuntos que interessam ao leitor, sexo, morte e dinheiro, não posso me afastar disso. Vou fazer outro começo. Escrever é começar.

O HOMEM POR QUEM AS MULHERES ERAM LOUCAS — "Rodrigo era um homem comum, nem bonito nem feio, nem alto nem baixo, mas não precisava fazer coisa alguma para fazer as mulheres se apaixonarem por ele. Qualquer uma que conversasse com Rodrigo por mais de meia hora sentia-se inconscientemente excitada, um calor na pele, uma espécie de euforia na mente. E o assunto podia ser qualquer um, sobre crianças e empregadas, a tediosa e recorrente conversação feminina, ou sobre política ou economia, caso uma mulher se interessasse por isso. Em suma, qualquer coisa. Quanto mais tempo a mulher ficasse ao lado do nosso herói, mais se encantaria com ele, pois Rodrigo era um homem que amava intensamente o sexo feminino e as mulheres sentiam isso, como um gás inebriante, um feitiço, um sortilégio que as fascinava, seduzindo-as, contaminando-as, instigando-as a se entregarem a ele. As mulheres descobrem misteriosamente quando um homem é compulsivamente atraído pelo sexo feminino e respondem como mariposas atraídas pela luz. No início elas não entendiam o que estava acontecendo, mas, depois que se afastavam, Rodrigo permanecia em suas mentes. À noite, sonhavam com ele."

Revejo esse começo, o começo exige atenção especial. Não gosto do nome do personagem, Rodrigo. É nome de novela de TV. E não posso comparar a mulher a uma mariposa, esse nome tem conotações negativas, as prostitutas eram chamadas, e ainda o são, de mariposas, e quando falo que as mulheres só gostam de falar sobre crianças e empregadas pareço um desses machistas que acham as mulheres inferiores, e mesmo se elas fossem inferiores, como atestam algumas opiniões filosóficas e científicas de peso, um escritor não pode dizer isso, perde os leitores femininos, e as mulheres podem não entender o que leem mas compram livros. E quando digo que o herói seduzia as mulheres contaminando-as, estou usando uma metáfora que pode parecer inadequada. Contaminar é contagiar, provocar uma infecção, corromper, viciar, era isso mesmo que eu queria dizer, mas todo cuidado é pouco com as metáforas. Mas esse começo também está uma merda, não sei o que vai acontecer depois, todas as ideias que galopam pelo meu pensamento deixam-me confuso. Fico horas na máquina de escrever, rasgo mil folhas de papel, mas não vou para a frente, fico atolado. Acho que vou comprar um computador. Dizem que isso ajuda. Escrever é começar.

O ARGENTÁRIO — "Era um banqueiro rico e poderoso, o dinheiro lhe dava autoridade, abria-lhe portas, conseguia-lhe mulheres e mesuras, e, quanto mais dinheiro possuía, maiores eram sua influência, prestígio e poder junto a seus pares e sobre a legião de subordinados que lhe prestava vassalagem. A ninguém interessava a maneira pela qual obtivera seus vastos recursos financeiros, parte deles certamente de maneira ilícita ou imoral, afinal ele era um banqueiro. O dinheiro dá uma aura de respeitabilidade, além de um irresistível charme, a ladrões, rufiões, putas, traficantes, assassinos, assaltantes, pedófilos, estelionatários e corruptos em geral."

Esse começo não está uma merda tão grande quanto os outros, mas tenho algumas dúvidas. Misturar pedófilos e assassinos com putas, estelionatários e corruptos é meio arbitrário, não obstante a atração pelo dinheiro ter a mesma essência do pendor pela depravação. Além disso, falar mal de banqueiros é um clichê, até revistas chatas de economia fazem isso. Minha indecisão nada tem a ver com o fato de que estou devendo dinheiro ao banco, mesmo sendo um bom motivo para ir à forra dos juros escorchantes que me cobram. Não sei por que atribuí um irresistível charme ao banqueiro. Um banqueiro, mesmo que tenha um passado deslumbrante de fraudes, tramoias e trapaças, como a maioria, a partir do momento em que a máscara que usa é a de banqueiro e essa máscara vira a sua verdadeira face, como todas as máscaras que não se tiram do rosto, ele se torna um sujeito sem charme. Ladrões, assaltantes e assassinos podem, sim, ter charme para os leitores. Estou usando um computador, que comprei com dinheiro financiado por um banco, é claro, não tenho dinheiro sobrando, mas parece que o computador não está me ajudando tanto quanto eu pensava. Lendo novamente o parágrafo que começa a história do banqueiro, não tenho dúvidas de que está também uma droga. Vou abandonar esse começo, mas não desisto, escrever é começar. Agora estou mais motivado.

OS SERES HUMANOS NÃO MERECEM EXISTIR

— "Gostava de matar baratas, pisando-as com a sola do sapato, mas um dia, depois de matar uma barata, o seu pensamento começou a vagar de maneira descontrolada e inquietante. Queria ser um escritor, ainda que soubesse que cada vez mais livros são publicados e menos livros são lidos, e que se conseguisse publicar um livro a crítica não tomaria conhecimento do seu trabalho, os críticos só se interessam pelos livros que vendem, por best-sellers cretinos. Mas não ia desistir do seu propósito, apesar da inquietação que se apoderou dele, do descontrole do seu pensamento, nesse dia em que matou a barata. Um escritor necessita de um certo domínio sobre seus pensamentos, deve possuir o poder de dirigi-los no sentido que desejar, e se isso não for totalmente possível o escritor não tem motivo para ficar preocupado, precisa apenas dar um certo método às suas divagações, mesmo se essas digressões o levem a se perguntar, por que mata apenas baratas? Por que não mata uma pessoa?"

Gosto deste novo começo. Não consigo acabar com as baratas que me perseguem, dedetizo periodicamente a minha casa mas elas sobem do apartamento de baixo, onde mora uma velha suja e petulante. Ontem ela disse, sai da minha frente, gordo molenga, quando me encontrou na escada. A velha desgraçada subia os degraus com mais rapidez do que eu. Dei passagem a ela sentindo vontade de agarrar o seu magro pescoço pelancudo e exterminar naquele momento a sua vida inútil. Odeio baratas e antes as matava pisando nelas, mas hoje vou matá-las com a minha mão, isso me dará uma satisfação especial, eu me vingo assim do nojo e do medo que me causam. Corro atrás da primeira barata que aparece na cozinha e achato-a com um golpe forte, sinto a barata estalando e enchendo de gosma fedorenta a palma da minha mão, que esfrego vitorioso no chão da cozinha. Meus pensamentos correm como ferozes tigres famintos perseguindo gazelas assustadas numa infindável pradaria. Não vou passar o resto dos meus dias matando baratas. Desço ao andar de baixo. Quando a velha abre a porta eu entro e a agarro pelo pescoço, esganando-a. Ainda não sei como dizer o que sinto. Pego alguns objetos na casa para parecer que a velha foi morta por um ladrão. Ao sair, deixo a porta aberta, um vizinho qualquer vai descobrir o corpo. Ninguém suspeitará de mim. Sou conhecido como um gordo manso e inofensivo.

Neste momento estou desenvolvendo o começo da história que iniciei com o título que lhe deu o sopro inicial de vida. No quiosque de livros da praça li um poema no qual o autor (roubei dele o título da minha história) diz que o mundo é doloroso, os seres humanos não merecem existir e ele, poeta, suspeita que a crueldade da sua imaginação está de certa forma conectada com seus impulsos criativos. Matar a velha, não a crueldade, como disse o poeta, mas a força do meu ato e não apenas da minha imaginação foi a impulsão que fará de mim um verdadeiro escritor. Livre-se da sua vidinha? O escritor não pode livrar-se da sua vida. Escrever é começar. Tenho, agora, o começo, tenho o meio e o fim.

Pequenas criaturas, 2002

Ela

Na cama não se fala de filosofia.
Peguei na mão dela, coloquei sobre meu coração, disse, meu coração é seu, depois pus sua mão sobre minha cabeça e disse, meus pensamentos são seus, moléculas do meu corpo estão impregnadas com moléculas do seu.
Depois botei a mão dela no meu pau, que estava duro, disse, é seu esse pau.
Ela nada disse, me chupou, depois chupei sua boceta, ela veio por cima, fodemos, ela ficou de joelhos, rosto no travesseiro, penetrei por trás, fodemos.
Fiquei deitado e ela de costas para mim sentou-se sobre o meu púbis, enfiou meu pau na boceta. Eu via meu pau entrando e saindo, via o cu rosado dela, que depois lambi. Fodemos, fodemos, fodemos. Gozei como um animal agonizando.
Ela disse, te amo, vamos viver juntos.
Perguntei, não está tão bom assim? Cada um no seu canto, nos encontramos para ir ao cinema, passear no Jardim Botânico, comer salada com salmão, ler poesia um para o outro, ver filmes, foder. Acordar todo dia, todo dia, todo dia juntos na mesma cama é mortal.
Ela respondeu que Nietzsche disse que a mesma palavra amor significa duas coisas diferentes para o homem e para a mulher.
Para a mulher, amor exprime renúncia, dádiva. Já o homem quer possuir a mulher, tomá-la, a fim de se enriquecer e reforçar seu poder de existir.

Respondi que Nietzsche era um maluco.
Mas aquela conversa foi o início do fim.
Na cama não se fala de filosofia.

Ela e outras mulheres, **2006**

LAURINHA

Quando minha mulher Teresa morreu, eu chorei muito. Não me incomodo de dizer isso. Sempre que me emocionava eu chorava, até no cinema. Meu irmão Manoel também era assim, chorava por qualquer coisa. É uma característica da minha família, temos o coração mole, qualquer coisa faz nossos olhos se encherem de lágrimas, um passarinho morto, um cachorrinho abandonado, uma criança pobre pedindo esmolas, qualquer coisa.

No enterro de Teresa eu e Manoel choramos muito. Da família, além de nós dois, só havia a Laurinha, a minha filha, que tinha, na ocasião, cinco anos. Laurinha não entendia bem o que estava acontecendo. Não que estranhasse ver o pai e o tio chorando, ela já estava acostumada, mas essa coisa de dizermos a ela que a sua mãe tinha ido para o céu a deixava meio confusa.

Ela vai voltar do céu, a mamãe?, Laurinha perguntava. E eu respondia que sim, com um soluço.

Laurinha foi crescendo e ficando cada vez mais parecida com a mãe. Com dez anos era uma mocinha linda. Era o encanto da minha vida e da do Manoel, que nunca se casara nem se casaria, ele tinha um lábio leporino que fora mal operado e o seu rosto tinha um esgar permanente muito feio, ele sabia disso, e as garotas fugiam dele. Assim, a família do Manoel éramos eu e Laurinha.

Então, tudo aconteceu.

Eu sempre ia apanhar Laurinha na saída do colégio, mas naquele dia não fui. Quando ela não apareceu em casa fiquei preocupado e fui ao colégio. Laurinha havia saído no horário, disse a diretora.

Ficamos eu e Manoel procurando Laurinha pela vizinhança. Anoiteceu e não a encontramos.

Ela foi encontrada no dia seguinte. Morta, num terreno baldio. Seu corpo foi transferido para o Instituto Médico Legal.

Fomos lá eu e o Manoel acompanhados de um tira, fazer a identificação.

O senhor se prepare para algo muito chocante, disse o legista. O estuprador espancou-a com muita violência, quebrou os dentes e o nariz dela, depois estrangulou-a, a menina tem equimoses pelo corpo todo.

O legista abriu uma gaveta de metal onde estava o corpo de Laurinha. O rosto dela estava deformado devido aos golpes violentos que sofrera. Parecia uma máscara, uma grotesca caricatura.

É ela, é a minha filha, eu disse, soluçando. Manoel teve um desmaio, caiu no chão e demorou a se recuperar.

Já sabemos quem fez isso, disse o tira, é um sujeito chamado Duda. Vai ser difícil pegar esse cara. Mora no morro.

Quando vocês pegarem, ele vai ficar preso?, perguntou Manoel.

Bem, como não será flagrante, o delegado vai ter que pedir a prisão preventiva dele ao juiz, só depois que a prisão preventiva for decretada o Duda poderá ser preso, isso se for decretada, do contrário ele vai ser processado em liberdade.

Interessante, disse o meu irmão.

Por onde é que anda esse tal de Duda?

O tira disse o nome do morro. Acho que ele é ligado ao tráfico.

Interessante, disse Manoel.

Saímos do IML, fomos ao banco e tiramos todo o dinheiro que tínhamos depositado, todo, até da poupança.

Fomos para o morro. Paramos o carro numa rua de baixo. Uns caras mal-encarados ficaram observando a gente. Um deles se aproximou, camisa aberta, deixando ver a pistola na cintura.

Qual é?, ele perguntou.

Não queremos pó, queremos um camarada chamado Duda. Pagamos bem. Expliquei a razão.

Quanto?, o cara perguntou.

Eu disse a quantia.

Guenta as ponta, o cara respondeu.

Ficamos dentro do carro, esperando. Não demorou e o traficante apareceu com o tal de Duda. Era um sujeito gordo de bigode, uns trinta anos, com as mãos amarradas atrás das costas.

Foi este o cara que matou a menina, disse o traficante, a polícia sabe e já andou por aqui atrás dele.

Põe ele na mala do carro, eu pedi.

Fomos para a minha casa de campo em Araruama.

As facas estão afiadas?

Pode fazer a barba com elas, respondeu Manoel.

Durante a viagem não trocamos uma palavra sequer, eu e o Manoel. Teve um momento em que um olhou nos olhos secos do outro, dizendo em silêncio que queríamos fazer aquilo que íamos fazer.

Nossa casa de campo ficava num local isolado. Se disparássemos um tiro de canhão ele não seria ouvido na vizinhança.

Tiramos Duda do carro e desamarramos as mãos dele.

Manoel fez um café. Quer um café?

Sim, obrigado.

Enquanto ele bebia o café, perguntei, por que você fez aquilo com a menina?

Não sei, ele respondeu, foi uma loucura, quando vi ela andando na minha frente com aquela saia curtinha do colégio me deu uma coisa que eu não resisti. Mas estou arrependido. Muito arrependido.

Precisava ter socado a cara e o corpo dela com tanta violência?

Não sei o que deu em mim, disse Duda. Estou muito arrependido. Deus vai me castigar.

Deus que se foda, eu disse.

Tiramos a roupa de Duda e o amarramos na cama, as pernas e os braços bem abertos.

Colocamos as facas sobre a mesinha de cabeceira. O ferro de cauterização foi posto no gás aceso do fogão.

Pelo amor de Deus, não façam isso comigo, pediu Duda.

Tem certeza que a cauterização evita qualquer infecção? Não queremos que ele morra, queremos?

De jeito nenhum, respondeu Manoel, queremos que ele viva.

Eu corto e você cauteriza, eu disse.

Pelo amor de Deus, implorou Duda, eu estou arrependido.

Agarrei os colhões de Duda e cortei lentamente, ouvindo os gritos lancinantes dele. Peguei o saco escrotal com os dois testículos e joguei na lata de lixo.

Os gritos de Duda não cessavam e aumentaram quando Manoel, com o ferro em brasa, cauterizou a ferida. Então Duda desmaiou.

Deixamos Duda amarrado na cama. Apenas cobrimos o corpo dele com um lençol.

Você está com fome?, perguntou Manoel.

Não.

Nem eu.

Passamos a noite sentados ao lado da cama de Duda. Ele só acordou de manhã.

Estou sentindo muita dor, disse.

Sua voz soava normal, apenas um pouco rouca.

Olha a voz do cara, Manoel, eu disse.

Ainda é cedo. Deve demorar uma semana, a coisa não acontece da noite para o dia.

Mantivemos Duda amarrado, dando mingau na sua boca. Ele chorava muito, pedia perdão, dizia que queria morrer, com a sua voz normal. Passada uma semana eu disse ao Manoel que talvez a coisa funcionasse apenas quando o sujeito era garotinho, com adulto era diferente.

Eu e Manoel nos aproximamos da cama e eu disse para o Duda, queríamos que você ficasse com a voz fininha, como se fosse uma mulherzinha.

Mas não ficou, disse Manoel, se ficasse íamos soltar você. Azar o seu.

Como é que a gente vai fazer? Ele tem que sofrer, eu disse.

A melhor maneira é quebrar os ossos dele, aos poucos, até ele morrer. Era assim que torturavam os caras, antigamente.

Pegamos duas barras de ferro na garagem e um martelo e voltamos para o quarto. Tiramos o lençol de cima do corpo de Duda.

Vamos começar pelos tornozelos, disse Manoel.

Lentamente, eu disse, lentamente, o puto tem que sofrer.

Quebramos com as barras de ferro os dois tornozelos de Duda. Esperamos um pouco e quebramos os ossos da canela, aquele osso que quando a gente está jogando futebol e leva um chute dói pra caralho.

Ele gritava como um louco. Mais um intervalo para ele se recuperar, não queríamos que ele desmaiasse de dor, e então esfacelamos seus dois joelhos.

Ele continuava gritando e agora defecava e urinava na cama.

Outro intervalo. Em seguida, com as barras de ferro, quebramos os cotovelos, depois as costelas, depois a clavícula, sempre com um intervalo entre uma coisa e outra. Com um martelo parti todos os dentes dele.

Então ele começou a gritar fininho, com a voz que nós queríamos que ele tivesse quando arrancamos os seus colhões. Mas agora era tarde, fazia mais de três horas que estávamos arrebentando os ossos dele.

O puto morreu coberto de merda, mijo e sangue.

Levamos a cama para o quintal dos fundos, enchemos de gasolina e tacamos fogo.

Ainda tem lata de salsicha e cerveja, disse Manoel.

Fomos para a sala, e comemos e bebemos.

Através da janela, víamos a fogueira ardendo no quintal.

Ela e outras mulheres, **2006**

Sapatos

Não está fácil arranjar emprego. Topo fazer qualquer coisa, mas sei que tenho problemas, como esse dente faltando na frente, um buraco feio que eu sei que causa uma impressão ruim. As pessoas que conheço perderam dentes lá de trás da boca, eu fui perder logo na frente. O Ananias diz que pelo menos eu posso mastigar os bifes sem problema, coisa que ele, que tem todos os dentes da frente mas perdeu os lá de trás, não pode fazer direito. Mas o que o Ananias não sabe é que eu não como bife há muito tempo, apenas arroz com feijão diariamente, e às vezes uma carne-seca. Minha mãe acha que eu não arranjo emprego porque não tenho sapatos. Diz que as sandálias que uso são muito feias e assustam as pessoas. Um dia ela me disse que tinha resolvido o problema. O seu patrão lhe dera um par de sapatos que apertavam tanto o pé dele que não podiam ser usados.

Minha mãe me mostrou os sapatos. Uma coisa linda. Olhando para o bico deles, que brilhava que nem um espelho, quase dava para ver a minha cara. Garanto que agora você arranja um emprego, ela disse.

Experimentei os sapatos. Eles apertavam muito o meu pé. Eu ia ter que amansá-los, como dizia o meu irmão que morreu atropelado. Na verdade ele não morreu atropelado, foi assassinado pela polícia quando fugia depois de assaltar um turista na praia, mas ninguém pode saber isso, para todo mundo a gente diz que ele morreu atropelado e todo mundo acredita. Turista assaltado e bandido assassinado pela polícia era uma coisa tão corriqueira que os jornais quando noticiavam era numa coluna mínima, sem foto, sem nada. Mas o meu irmão dizia, sapato apertado a gente tem que amansar, usando todo dia, no fim de algum tempo ele vai abrindo e não machuca mais.

Naquela noite fiquei andando de um lado para o outro dentro de casa com os sapatos nos pés, o sapato tinha um número pequeno, o patrão da minha mãe tinha pé pequeno, como todo sujeito rico. Os sapatos apertavam os pés pra caralho, e quando fui deitar os meus pés doíam como se um ônibus tivesse passado por cima deles.

No dia seguinte coloquei os sapatos e fui procurar emprego. As pessoas já me atendiam melhor, pediam para eu voltar dentro de alguns dias, isso já era coisa do sapato novo.

Quando cheguei em casa, logo no primeiro dia, tirei os sapatos correndo. Meus pés já estavam cheios de bolhas. Seu filho da puta, eu disse para o sapato, vou amansar você, você não sabe com quem está se metendo.

As bolhas no pé foram aumentando, andar com aqueles lindos sapatos era uma tortura, mas quem ia se foder eram eles. Toda noite eu os limpava cuidadosamente. Eles até pareciam ter ficado mais bonitos.

Continuei andando e depois de algum tempo as bolhas dos dedos viraram calos, e andar com os sapatos foi deixando de doer. Claro que eu usava uns macetes, colocava algodão em cima dos calos para eles incomodarem menos, mas aquela dorzinha de merda dos calos era nada comparada com a dor que eu sentia enquanto amansava os sapatos.

O melhor de tudo é que consegui um emprego como porteiro de um prédio na zona sul. Naquele dia, no dia em que consegui o emprego, cheguei em casa, tirei os sapatos e com eles na mão perguntei, então, viram quem manda, quem dá as ordens? E mais uma vez, limpei-os cuidadosamente. Para falar a verdade, eu cada vez gostava mais daqueles sapatos.

Minha mãe ficou muito feliz quando soube que eu tinha arranjado um emprego, eu ia poder ajudar nas despesas da casa, principalmente comprar comida. Mas acho que a razão principal foi porque ela tinha medo que eu me tornasse um marginal, como o meu irmão, e arranjando um emprego isso não ia acontecer.

Então aconteceu. Uma coisa pior. Minha mãe já tinha saído para trabalhar e eu estava em casa, feliz da vida, pois acabara de receber o uniforme de porteiro e começaria a trabalhar no dia seguinte.

Como eu disse, então aconteceu. Um sujeito tocou a campainha da porta. Abri, era um cara ainda mais escuro do que eu, que disse, eu sou da polícia, e me mostrou uma carteira.

Onde estão os seus sapatos?

Meus sapatos? Meus sapatos?

Sim, seus sapatos. Você é surdo?

Apanhei os meus sapatos e com eles nas mãos disse, esses são os meus sapatos.

Vou levar, ele disse.

Perdi a paciência e até mesmo o medo.

Vai levar os meus sapatos? Está maluco? Foi minha mãe quem me deu.

Esses sapatos foram roubados por ela, ele disse.

Dei a ele os sapatos, que o tira colocou numa saca. Vesti as minhas sandálias nojentas. Depois o tira me levou para o carro da polícia que estava na porta, felizmente nenhum vizinho viu essa coisa toda.

Quando cheguei na delegacia, me levaram para uma sala onde estavam minha mãe, debruçada num banco com a cabeça curvada, um sujeito todo bem-vestido, que devia ser o patrão dela, e, sentado atrás de uma mesa, um homem de óculos que devia ser o delegado.

Quando entrei na delegacia, vi que o puto do patrão da minha mãe olhou para os meus pés e deve ter ficado feliz de ver as sandálias nojentas que eu estava usando.

Esse é o seu filho?, perguntou o delegado.

É, respondeu baixinho a minha mãe.

Você trabalha onde?

Vou começar amanhã, como porteiro de um prédio, respondi, dando o endereço do prédio e o nome do síndico.

Quando eu falei, o puto do patrão notou que não tenho o dente da frente e ficou satisfeito em ver o fodido que eu era, o cachorro devia ser vingativo.

O tira que me levara tirou os sapatos da saca.

São esses os seus sapatos?

São, disse o puto do patrão. Deixa eu experimentar. Colocou os sapatos e deu uma volta pela sala.

Engraçado, disse o puto, eles não apertam mais os meus pés. São ingleses, sabia?

Eu tinha amansado os sapatos para aquele filho da puta. Nunca senti na minha vida um ódio tão grande como o que senti por aquele sujeito naquele momento.

O patrão tirou os sapatos e voltou a calçar os que usava antes. Depois se debruçou sobre a mesa e cochichou qualquer coisa no ouvido do delegado.

Encerrar? Deixar ela ir embora?, disse o delegado.

Mais um cochicho do filho da puta.

Então está bem, disse o delegado.

O patrão de merda saiu, carregando os sapatos.

Logo em seguida o delegado disse para mim e para minha mãe:

Vocês podem ir embora.

Podemos ir embora?

Podem. Mas vê se a senhora não faz mais besteira, ouviu?

Saímos da delegacia.

O puto do patrão estava ao lado de um carro, parado perto da delegacia, a saca com os sapatos na mão.

Dona Eremilda, ele disse.

Eremilda é o nome da minha mãe.

Vamos embora, dona Eremilda, a senhora ainda é minha empregada. Anda, entra aí na frente ao lado do motorista.

Sim, senhor, ela disse humildemente.

Minha mãe entrou no carro. O patrão virou-se para mim e me deu a saca com os sapatos.

Pode levar, ele disse, são seus. Mas continua cuidando bem deles.

O patrão entrou no carro, o carro foi embora. Olhei os sapatos dentro da sacola. Estavam ainda mais bonitos.

Axilas e outras histórias indecorosas, **2011**

AXILAS

Eu ainda não sabia o seu nome, que depois descobri ser Maria Pia. Ela já estava sentada quando vi os seus braços, braços finos, que para o meu bisavô não causariam o menor interesse, ele provavelmente os acharia feios. Além do mais, Maria Pia usava uma manga cavada e os braços estavam totalmente desnudos. Meu bisavô gostaria que ela usasse mangas curtas meio palmo abaixo do ombro e que seus braços fossem cheios, do jeito que Machado de Assis descreve no conto "Uns braços". Maria Pia era fina, toda ela, eu sabia, desde o início, vendo-lhe apenas os braços. E quando ela deu-lhes movimento, pude ver parte da sua axila.

A axila da mulher tem uma beleza misteriosamente inefável que nenhuma outra parte do corpo feminino possui. A axila, além de atraente, é poética. A boceta pulsa, e o cu é enigmático; são muito atraentes, reconheço, porém circunspetos, dotados de certa austeridade.

Mas ainda falando de cu e boceta. Durante muito tempo esses foram os tesouros do corpo feminino que eu mais amei, os orifícios. O da boceta, gruta que quanto mais estreita, mais gratificante era o prazer que me proporcionava; e o do cu, uma toca, um buraquinho que se abria como uma flor caleidoscópica para receber o meu pênis. Contudo, isso era no tempo em que o pênis era uma peça importante da minha arte amatória, em que o meu poeta favorito então era o Aretino, o clássico Pietro Aretino, que nasceu em Arezzo em 1492 e morreu em Veneza, em 21 de outubro de 1556.

Como dizia, isso era no tempo em que eu ainda não havia descoberto com a língua a delicada textura do cu e da boceta, que passei a lamber com um prazer jubiloso. Como no poema de Drummond, "a língua lambe, lambilonga, lambilenta, a língua lavra certo oculto botão, e vai tecendo lépidas variações de leves ritmos". Sim, foi a minha fase de polir, de bajular com a língua os orifícios. Isso durou até eu conhecer o encanto inspirador da axila, o lugar perfeito para a língua. Refiro-me à axila dos meus sonhos, a axila da mulher por quem me apaixonei, a de Maria Pia, a violinista, e não à da minha bisavó.

Vejo a foto da minha bisavó portuguesa, Maria Clara. Era uma mulher bonita, sólida, os seus braços eram cheios, como aqueles tais braços machadianos aos quais me referi. Suponho que só gente velha vai fazer a conexão e eu não tenho leitores velhos, na verdade por enquanto nem leitor algum, o meu livro de poesias foi devolvido pelos cinco editores a quem o enviei. Dizem que isso acontece com todos os poetas, que eles têm que financiar os seus livros, mas eu me recuso a fazer isso, acho vergonhoso.

Vendo a foto da minha bisavó posso imaginar que as suas axilas eram grossas, no que concernia à espessura, à consistência. (Provavelmente também eram, na realidade, as de uma portuguesa, de nome Carolina — a possível dona daqueles "uns braços" machadianos de que falei antes.)

Sei que alguém gostaria de me perguntar: você fala em cu e boceta, mas usa axila em vez de sovaco. Por quê? A resposta é muito simples. Cu e boceta têm uma obscenidade fáustica, que ainda resiste ao uso e abuso desses termos nos dias atuais. Mas sovaco é uma palavra vulgar, de uma trivialidade reles e fosca.

Quando vi Maria Pia pela primeira vez ela já estava sentada. Eu chegara atrasado, mesmo assim conseguira entrar. O meu lugar fora um presente de última hora, de um amigo que não pudera ir ao concerto. Haveria outra récita dentro de 15 dias, e se eu quisesse contemplar novamente os braços e as axilas de Maria Pia precisava obter o mesmo lugar na plateia. Assim, esperei ansioso a bilheteria do teatro abrir no dia seguinte e comprei uma assinatura de todos os concertos da Orquestra Sinfônica, com lugar marcado na primeira fila.

Maria Pia tocava violino. Sempre usava um longo preto de mangas cavadas. Certas notas para serem obtidas exigiam que ela levantasse os braços de maneira que me permitia contemplar extasiado a sua axila. Como todos sabem, o naipe de violinos fica à esquerda do maestro. O lugar de Maria Pia era logo atrás do spalla.

Nunca amei na minha vida, até conhecer Maria Pia. Isso só aconteceu quando ouvi a Orquestra Sinfônica executar o *Concerto K 219*, o *Turco*, para violino, um dos que Mozart compôs, ainda no tempo em que era spalla de uma orquestra em Salzburg, no ano de 1775. Tais concertos, aliás, para mim são as peças menos brilhantes de Mozart. Pois foi ao ouvir as notas que saíam do violino de Maria Pia durante a execução desse concerto e contemplando seus braços e suas axilas que eu me apaixonei por ela. Lembram do poema do Keats, "a thing of beauty is a joy for ever; its loveliness increases; it will never pass into nothingness..."? Lembram? As axilas de Maria Pia mereciam um poema como esse, que lamentavelmente meu estro seria incapaz de criar.

Não foi fácil me aproximar de Maria Pia. Isso aconteceu por pura sorte. Eu estava visitando no Museu de Belas Artes uma exposição de pintores de um hospital de doentes mentais, quando notei Maria Pia a olhar para um quadro.

Aproximei-me dela e timidamente pedi-lhe um autógrafo. Ela achou graça, disse, "é a primeira vez que me pedem um autógrafo". Expliquei que ia sempre aos concertos da Orquestra Sinfônica e que admirava todos os músicos da orquestra, e que tinha a mania de colecionar autógrafos — uma deslavada mentira. Depois falamos sobre um dos quadros da exposição, do Bispo do Rosário.

Ao notar que ela olhava o quadro com admiração, comentei, "um gênio". Ela balançou a cabeça, concordando, e disse, "ele é o nosso Duchamp".

Convidei-a para jantar. Ela escusou-se dizendo que tinha um compromisso. "Outra ocasião", acrescentou. Despedi-me dizendo sorridente, escondendo minha frustração, "vou cobrar, viu?".

Nessa noite tive que tomar altas doses de remédio para dormir. Aliás, tomo remédio para dormir todas as noites, do contrário não durmo. Eu deito, e durmo duas horas. Então acordo e tomo o remédio, que procuro variar de dois em dois meses. Sonho sempre. Na verdade é uma espécie de pesadelo, uma coisa monótona como, por exemplo, que sou uma pessoa andando em círculos e vendo sempre as mesmas coisas. Às vezes eu estou sentado e o que gira é a minha cabeça, como a garota do filme sobre exorcismo. Mas esse sonho é melhor do que aquele de ficar dando voltas e mais voltas.

No concerto seguinte Maria Pia percebeu que eu estava na primeira fila e sorriu discretamente. Fiz um sinal de que queria lhe falar.

Esperei-a na saída. Convidei-a para jantar, mas ela alegou que estava cansada e disse que ia pegar um táxi para casa. Falei que o meu carro estava perto dali e ofereci-me para levá-la.

Maria Pia usava um vestido decotado sem manga. Quando parei o carro na porta do apartamento dela, num impulso tolo e irresistível, tentei beijar o seu braço, ao lado da axila. Ela empurrou-me com força.

"Você me dá pena", ela disse.

Não precisava dizer mais nada, senti o desprezo na sua voz e no seu olhar, mesmo na penumbra do carro. Defendi-me de maneira pusilânime, "por favor, me desculpe".

Maria Pia suspirou e exclamou, em surdina, "patético".

Saltei do carro para abrir a porta do carona para ela, porém as mulheres de braços finos são muito ligeiras e quando cheguei na porta ela já havia saltado e caminhava na direção da entrada do prédio. O prédio onde Maria Pia morava não tinha porteiro noturno e ela mesma abriu a porta.

"Boa noite", eu disse sem coragem de estender a mão para ela. Maria Pia não respondeu, entrou no prédio sem olhar para trás.

Fui para casa, deitei-me mas não consegui dormir. Estava possuído por um ódio que nunca pensei que sentiria. Levantei-me, sentei-me em frente ao computador, sempre com o mesmo ódio roendo o meu coração, consultei na internet o assunto que me interessava, depois digitei algumas palavras e imprimi. Fiz tudo compulsivamente. Isso acontece muito comigo, forças irresistíveis me compelem a fazer coisas das quais me arrependo depois.

Esperei dois dias e liguei para Maria Pia. Quando me identifiquei ela disse, friamente, "Sim?".

"Tenho um presente para você."

Outro "sim", ainda mais frio.

"Um quadro do Bispo do Rosário."

"Do Bispo do Rosário? É mesmo?"

O tom de voz estava mais aquecido.

"Quando posso levá-lo à sua casa?"
"Quando você quiser. Pode ser hoje mesmo."
"Nove horas, está bem?"
"Ótimo. Vai ser um prazer rever você."
Incrível como as pessoas mudam.
Às nove horas, com a pasta com a encomenda para Maria Pia debaixo do braço, toquei a campainha da porta do prédio.
"Sim?"
"Sou eu", respondi.
Ouvi o som da porta da rua sendo aberta. Entrei. O hall estava vazio. Peguei o elevador e subi, décimo terceiro andar. Treze. Era o meu número de sorte.
Maria Pia abriu a porta sorridente.
"Entra, entra." O entra-entra soava entra-entra-meu-querido.
Entrei. Ela fechou a porta.
Abri a pasta e tirei o cassetete e dei uma forte pancada na cabeça de Maria Pia. Ela caiu desmaiada no chão, mas notei que respirava como se estivesse dormindo. Tirei a blusa que ela usava, levantei os seus braços e contemplei fascinado as axilas de Maria Pia, que beijei e lambi e chupei demoradamente.
Depois peguei o seu corpo no colo e levei-o até a janela aberta. Cuidadosamente joguei-o na rua. Ouvi o estrondo do corpo batendo na calçada. Depois coloquei a carta sobre a mesa, guardei o cassetete na pasta e saí do apartamento, tendo o cuidado de não deixar impressões digitais na maçaneta.
Algumas pessoas olhavam tão atentamente para o corpo caído de Maria Pia que nem me viram passar.
Eu havia deixado o carro numa outra quadra. Entrei no carro e fui para casa.

No dia seguinte li no jornal: "Maria Pia, violinista da Orquestra Sinfônica, cometeu suicídio saltando do seu apartamento no décimo terceiro andar. Os amigos ficaram surpresos com o gesto de Maria Pia. Ela deixou uma carta..."

A carta, reproduzida no jornal, dizia: "Querido, tenho certeza de estar ficando louca. Começo a escutar vozes e não consigo me concentrar. Estou fazendo o que me parece ser a melhor solução. Você me deu muitas possibilidades de ser feliz. Você esteve presente como nenhum outro. Não creio que duas pessoas possam ser felizes convivendo com esta doença terrível. Não posso mais lutar. Sei que estarei tirando um peso de suas costas, pois, sem mim, você poderá trabalhar. E você vai, eu sei. Você vê, não consigo sequer escrever. Nem ler. Enfim, o que quero dizer é que depositei em você toda minha felicidade. Você sempre foi paciente comigo e incrivelmente bom. Eu queria dizer isto — todos sabem. Se alguém pudesse me salvar, este alguém seria você. Tudo se foi para mim mas o que ficará é a certeza da sua bondade. Não posso atrapalhar sua vida. Não mais."

Ninguém percebeu que os termos daquela carta eram idênticos a uma que fora escrita por uma mulher que se matara jogando-se num lago. Ou fora num rio?

A carta? Copiei da internet e imprimi na minha HP. Difícil foi treinar a assinatura, copiando o autógrafo que Maria Pia me dera.

Mais uma noite sem dormir. Eu estava muito infeliz. Matara a única mulher que conseguira amar em toda a minha vida.

Fui ao enterro, não podia deixar de ir. Enquanto acompanhava o féretro sendo empurrado sobre um carro, um sujeito ao meu lado perguntou quem seria essa pessoa a quem Maria Pia se dirigira em sua carta de suicida. Os amigos não faziam a menor ideia. Tive vontade de dizer, o nome dele era Leonard, mas não disse.

Subitamente vi, com pavor, uma mulher magrinha, a Maria Pia, surgir à minha frente. Cambaleei, tive que me segurar no sujeito que estava ao meu lado, para não cair no chão.

"Está se sentindo mal?", ele perguntou.

"Já passou", eu disse. "Quem é essa moça?"

"É a irmã gêmea de Maria Pia", ele respondeu.

Enquanto Maria Pia era sepultada fiquei perto da irmã, como um lobo faminto, o coração disparado, esperando uma oportunidade para ver as suas axilas.

Axilas e outras histórias indecorosas, **2011**

O FILHO

Jéssica tinha dezesseis anos quando ficou grávida.
É melhor tirar, disse a mãe dela. Você sabe quem é o pai?
Jéssica não sabia. Respondeu, não interessa quem é o pai, são todos uns merdas.
Combinaram que iam fazer o aborto na casa da mãe de santo d. Gertrudes, que fazia todos os partos e abortos daquela comunidade.
D. Gertrudes era uma mulher gorda, muito gorda, preta, muito preta, e suas rezas para afugentar os maus espíritos eram extremamente eficazes. D. Gertrudes fazia esconjurações, proferindo imprecações e rogando pragas misturadas com bênçãos; fazia orações contra o quebranto e o mau-olhado; orações contra os espíritos obsessivos; orações para fechar o corpo contra todos os males; orações para exorcizar o demônio. E tinha uma oração especial, a Oração da Cabra Preta.
Na véspera de realizar o aborto, Jéssica falou com a mãe que havia decidido ter o filho e que se fosse menino ia se chamar Maicon e se fosse menina, Daiana.
Vai ter o filho?
Vou.
Ficou maluca. Como é que você vai criar?
Qual o problema? Se der muito trabalho eu posso dar o bebê, ou melhor, posso vender. Tem um monte de gente interessada em comprar bebês. A Kate vendeu o bebê, você sabia?
Vendeu?

Vendeu. Mas não conta para ninguém. Ela me pediu segredo.

Naquele mesmo dia a mãe de Jéssica, d. Benedita, foi procurar a Kate.

Quando d. Benedita falou sobre a venda do bebê, Kate ficou branca.

O pessoal não pode saber, pelo amor de Deus, o pessoal não pode saber.

Por quê? Qual o problema?

Eu não disse lá em casa que tinha vendido, disse que tinha dado. Fiquei com o dinheiro só para mim, se o meu pai e a minha mãe souberem vão me encher de porrada.

Quanto lhe pagaram?

Não digo, não digo.

Quem comprou?

Chega, d. Benedita.

Kate se afastou correndo.

D. Benedita não desistiu. Foi procurar a mãe de santo d. Gertrudes e disse que queria fazer Kate lhe contar quem havia comprado o seu bebê.

Misifia, isso é coisa de Satanás, disse d. Gertrudes, é preciso uma oração contra o demônio. Deve-se repetir muitas vezes, misifia.

D. Gertrudes fez repetidas vezes o sinal da cruz e começou a orar em voz alta:

Eu, como criatura de Deus, feita à Sua semelhança e remida com o Seu santíssimo sangue, vos ponho preceito, demônio ou demônios, para que cessem os vossos delírios, para que esta criatura não seja jamais por vós atormentada com as vossas fúrias infernais. Pois o nome do Senhor é forte e poderoso, por quem eu vos cito e notifico, que vos ausenteis deste lugar que Deus Nosso Senhor vos destinar;

porque com o nome de Jesus vos piso e rebato e vos aborreço do meu pensamento para fora. O Senhor esteja comigo e com todos nós, ausentes e presentes, para que tu, demônio, não possas jamais atormentar as criaturas do Senhor. Amarro-vos com as cadeias de São Paulo e com a toalha que limpou o santo rosto de Jesus Cristo para que jamais possais atormentar os viventes.

Depois de recitar a sua oração, d. Gertrudes rodopiou pela sala e caiu no chão, desmaiada.

D. Benedita voltou a se encontrar com Kate, que, como se estivesse em transe, lhe contou quem comprara o bebê, a quantia, tudo.

Mas d. Benedita não disse isso para Jéssica. Estava decidida a vender o bebê ela mesma, pois precisava de dinheiro para comprar uma dentadura.

O tempo foi passando e a barriga de Jéssica crescendo. Jéssica era uma menina miúda, raquítica, não chegava a ter um metro e meio de altura, mas a sua barriga era imensa, e as pessoas diziam que nunca tinham visto uma barriga daquele tamanho.

É menino, dizia Jéssica, e vai ser grandão, grandão e bonito, vocês vão ver.

Jéssica foi se arrastando ao cafofo de d. Gertrudes para ser examinada.

Vai ser amanhã, disse d. Gertrudes. Venha preparada.

Jéssica dormiu mal aquela noite, pensando no filho. Não ia vender o bebê, queria lhe dar de mamar, seus peitos já estavam cheios de leite.

No dia seguinte, levando um pequeno cobertor e um lençol rendado para agasalhar o bebê, Jéssica foi para a casa de d. Gertrudes.

D. Benedita fez questão de acompanhá-la. Seu plano era pegar o bebê imediatamente após o parto e sair correndo com ele debaixo do braço para se encontrar com o comprador de bebês, com quem ela já havia combinado tudo. Ela também havia levado panos para envolver o bebê.

O parto correu normal. O bebê nasceu, era menino.

D. Benedita imediatamente olhou o bebê e saiu correndo da casa de d. Gertrudes.

Mas d. Benedita saiu correndo sem levar o bebê. Saiu sozinha com o olho arregalado como se Satanás tivesse entrado no seu corpo.

D. Gertrudes envolveu o bebê nos panos que Jéssica trouxera.

Pode levar o bebê para casa, disse d. Gertrudes.

Jéssica então olhou o filho. Não disse uma palavra. Pegou o bebê envolto no cobertor e no pequeno lençol de renda e saiu da casa de d. Gertrudes.

Foi caminhando lentamente pela rua até que encontrou a primeira lata de lixo grande. Então jogou o bebê na lata de lixo.

O bebê era aleijado. Só tinha um braço. Ela não ia dar de mamar nem ninguém ia querer comprar aquela coisa.

Amálgama, **2013**

O MATADOR DE CORRETORES

1 – As pessoas andam pela cidade e nada veem. Veem os mendigos? Não. Veem os buracos nas calçadas? Não. As pessoas leem livros? Não, veem novelas de televisão. Resumindo: as pessoas são todas umas cretinas.

Veem os políticos ladravazes? Claro que não, essas canalhas só andam de automóvel do ano, que o poder que exercem, seja no Legislativo, no Judiciário ou no Executivo, dá a cada um deles todo ano um carro novo de lambuja. Sei que tem imbecil que não sabe o que é ladravaz. Aprende, seu merda: substantivo masculino. Grande ladrão; ladronaço (esse aumentativo de ladrão é ainda mais raro). Não existe um substantivo feminino para ladravaz. Elas também são ladras, mas em número muito menor.

Como ia dizendo, essas pessoas nada veem, nem mesmo o fato de estarem cercadas por todos os lados por mais e mais gente, multidões que às vezes tornam o ato de andar pelas calçadas difícil e você tem que andar pelo asfalto. As pessoas também não veem a procissão poluente de carros rodando nas ruas, qualquer bunda-suja tem um carro, pago em 94 prestações. Hoje vi um pobre-diabo que para fugir da choldra que enchia as calçadas foi andar no asfalto e acabou atropelado por um carro; como é de praxe, ninguém parou para socorrê-lo, era um acontecimento sem muita importância e de certa forma corriqueiro.

Mas eu, quando perambulo pelas ruas, vejo tudo. E vejo a pior coisa de todas: a cidade sendo destruída. Não há logradouro em que um prédio não esteja sendo demolido para dar lugar a um arranha-céu, ou então sendo cavado um buraco onde esse monstro vai ser erguido, ou então, pior ainda, um lugar onde essa coisa hedionda já foi erguida. Arranha-céu? Eu disse arranha-céu? O nome certo é arranha-inferno.

Eu precisava fazer alguma coisa. Passei na porta de um monstrengo desses que acabara de ser construído e vi, em frente a um pequeno galpão, um cartaz que dizia: AQUI. CORRETOR AUTORIZADO. Então tive uma ideia de gênio.

2 – Fiquei um pouco decepcionado quando não li qualquer notícia nos jornais. E depois de eu ter agido pela segunda vez, também nada. Mas, na terceira, uma pequena notícia foi publicada numa página interna: *Corretor de imóveis assassinado. Corretor de imóveis foi assassinado com requinte de crueldade. Deceparam a sua cabeça e os dedos da sua mão.*

Uma pequena notícia? Que absurdo, eu queria causar um choque emocional e sai aquela merreca de notícia? Então tive outra ideia brilhante.

A notícia do jornal saiu na primeira página. *Corretor de imóveis é assassinado. Sua cabeça e os seus dedos foram decepados. O assassino deixou um bilhete: Vou assassinar um corretor de imóveis por dia.*

3 – O que eu matei em seguida foi de maneira ainda mais elaborada. Escrevi com a ponta de uma faca no peito dele: *Eu não disse?*

Os jornais, que adoram tragédias, escândalos, tudo que pode satisfazer a curiosidade malsã dos imbecis, publicaram a foto com grande estardalhaço, na primeira página, junto com entrevistas de policiais, psicólogos, professores e alguns cidadãos escolhidos randomicamente.

Policial: Vamos descobrir logo quem é esse assassino e botá-lo na cadeia.

Psicanalista: Certamente é uma pessoa doente, que deve ter tido, ou ainda tem, problemas de relacionamento com o pai, mais provavelmente com a mãe, que deve tê-lo renegado. Há fortes indicações de que esse indivíduo sofra do que chamamos narcisismo primário e complexo de castração.

Cidadão: Se eu fosse corretor de imóveis, não saía de casa.

4 – O único sujeito que não disse besteira foi o tira. Ou melhor, o único sujeito que disse besteira foi o psicanalista. Esses caras sempre apelam para isso, relacionamento com os pais, é influência daquele dr. Freud. Sim, a minha mãe de certa forma me renegou, morrendo durante o parto. Isso significa que esse menino quando crescer vai matar corretores de imóveis. O pai morreu logo em seguida, eu nem me lembro como ele era. Ah! Não se lembra do pai? Isso significa que esse menino quando crescer vai matar corretores de imóveis. Cambada de cretinos.

5 – Resumindo esta história que teve um final inesperado: matei mais cinco corretores. No terceiro, o assunto saiu das primeiras páginas. No quarto, saiu numa coluna da página cinco. Depois do quinto corretor de imóveis que eu matei... depois do quinto... do quinto... Que som é esse? Eu estava rangendo os dentes? Sim, confesso, eu estava rangendo os dentes, comecei a ranger os dentes depois que li a notícia:

O assassinato dos corretores de imóveis teve um efeito surpreendente: fortaleceu o mercado imobiliário que estava em crise. As vendas de apartamentos em todos os bairros da cidade aumentaram em cerca de 25%...

Não li o resto. Peguei a faca, a faca que me ajudara a matar os malditos corretores, e fiquei olhando para a imagem do meu rosto refletida na lâmina. Então, tive uma ideia, uma ideia fantástica que encheu o meu coração de regozijo. Mas ainda não posso contar para vocês.

Amálgama, **2013**

Fazer as pessoas rirem
e se sentirem felizes

Não gosto que saibam o que eu faço. Mesmo trabalhando disfarçado morro de medo de que um dia alguém me veja na rua e grite "é ele, é ele".

Não sei fazer mais nada e isso que eu faço aprendi com o meu pai. Ele morreu. Mas algum tempo antes de morrer ele ficou louco. Mesmo assim continuou trabalhando e ninguém percebia. Ele entrava no meu quarto e perguntava "quem é você?".

Eu o vestia para ele ir trabalhar. Nós íamos juntos, trabalhávamos no mesmo lugar. Ele trabalhou destrambelhado mais de um ano. Eu dizia "vamos", e ele me seguia como um sonâmbulo. Eu vestia a roupa nele, colocava o nariz, pintava onde tinha que pintar, pensativo, mas não sei o que ele pensava, ou se pensava, quem é que sabe o que se passa na cabeça de um maluco? Mas assim que entrava no picadeiro ele olhava as arquibancadas e mesmo se elas estivessem vazias despertava e logo começava a realizar as palhaçadas em que era um mestre. Um filósofo ou alguém parecido com um filósofo disse que o trabalho tudo vence, e eu acredito nisso, que o trabalho faz bem, principalmente se você é maluco. Ele estava muito gordo, é bom o palhaço ser gordo, o gordo é engraçado, o magro causa tristeza. Mas ele não morreu da cabeça. Morreu do coração. Maluco não morre, a cabeça é forte. Está tudo na cabeça, até a nossa alma. O coração é fraco.

Passei a usar as coisas dele no trabalho. As calças, o camisolão, os suspensórios, os sapatos. O nariz não, o nariz eu usava o meu mesmo. O meu era mais novo, mais vermelho, mais redondo. Meu pai quando eu comecei dizia: "Nós temos que ser líricos, sabe o que é lírico, ópera lírica? A cantora da ópera é sempre uma gorda, canta coisas sentimentais, entendeu? É isso que nós temos que ser, líricos, e além disso bobos, e engraçados, mas não somos engraçados como os anões, os nanicos são anormais, nem somos iguais à mulher barbada, nós somos cômicos, fazemos as pessoas rirem e se sentirem felizes."

Que pessoas? Cada vez vinha menos gente assistir ao espetáculo. Parece que isso acontece no mundo inteiro, as pessoas veem o circo pela televisão. Eu me lembro de quando era pequeno e meu pai me levou para ver um circo alemão chamado Sarrasani. A arquibancada estava lotada e isso acontecia todos os dias. O circo tinha um domador de elefantes, um domador de leão, muitos bichos, creio que até um urso, mulheres quase nuas que ficavam em pé sobre cavalos que corriam, um sujeito que engolia fogo, malabaristas de todos os tipos, equilibristas, coisas incríveis. Lembro que meu pai apontou para um dos palhaços e disse "eu sou melhor do que esse cara".

Meu pai era bom, mas foi ficando velho e costumava dizer "os velhos sabem mas não podem, os jovens podem mas não sabem". Ele já não conseguia fazer certos movimentos que nós palhaços temos que fazer, e foi ficando triste, palhaço finge que é triste, mas não pode ser triste.

No circo em que eu trabalhava o único animal que se exibia era um cachorro que andava nas duas patinhas de trás, só isso; tinha um casal que fazia acrobacias, um mágico, um anão corcunda e dois palhaços, eu e o meu pai. O circo era armado nos subúrbios mais pobres da cidade e as arquibancadas ficavam vazias, cada vez mais vazias. Todo mundo tem televisão em casa, até os pés-rapados.

Então um dia cheguei em casa e a minha mulher tinha ido embora.

Deixou um bilhete, a letra dela era horrível, mas deu para ler qualquer coisa como estar indo embora, aproveitar a carona de um amigo, ir para bem longe.

Meu pai contava que antigamente ele gritava no circo: "O palhaço o que é?"

E todos respondiam gritando:

"É ladrão de muié." Era assim que eles gritavam, *muié* em vez de *mulher*.

Minha mulher me deixou, o circo fechou, não consegui lugar de palhaço em nenhum outro lugar. Eu não era um palhaço muito bom, não era engraçado como o meu pai, que até maluco fazia as pessoas rirem. Na verdade o circo tinha acabado, ou tinha ido para a televisão.

Eu precisava arranjar um trabalho, senão ia morrer de fome. Felizmente arranjei um emprego de porteiro noturno.

Era um prédio pequeno, habitado só por gente velha. Eu podia dormir a noite toda, deitado num colchonete que levava dobrado numa saca. Era um emprego bom e os velhotes e as velhotas gostavam de mim.

Engraçado, tem mais mulher velha que homem velho. Por que será?

Histórias curtas, **2015**